M000040124

ANE

AUG. TRUPHÈME

AVG. TRVPHÉME

Agrégé d'histoire, chargé de recherche à l'I.N.R.P., (département «Mémoire de l'éducation»), Yves Gaulupeau est conservateur au Musée national de l'Education (Rouen). Auteur de différents articles et catalogues d'exposition, ses travaux portent en particulier sur l'enseignement de l'histoire et l'iconographie des manuels scolaires, sujet d'une thèse en cours à l'Ecole des hautes études en sciences sociales. En 1990, il a publié par ailleurs, avec Alain Dewerpe, aux Presses de l'E.N.S., *La Fabrique des prolétaires,* étude socio-culturelle d'une communauté ouvrière, à la charnière de l'Ancien Régime et de la Révolution industrielle.

Pour Christine, Marion, Axelle et Charles

1er dépôt légal : septembre 1992
Dépôt légal : mars 1996
Numéro d'édition : 75342
ISBN : 2-07-053215
Imprimerie Kapp Lahure Jombart à Évreux

LA FRANCE À L'ÉCOLE

Yves Gaulupeau

DÉCOUVERTES GALLIMARD
HISTOIRE

Dans la France de la Renaissance, l'enseignement des rudiments – lire et prier, parfois écrire et compter – est le fait d'un nombre restreint d'écoles paroissiales, héritières des petites écoles épiscopales et monastiques. L'essor de l'imprimerie et la concurrence entre catholiques et protestants facilitent l'accès à ces savoirs. Les écoles de charité qui se multiplient au XVIIe siècle jouent ensuite un rôle décisif.

CHAPITRE PREMIER

LE TEMPS DES PETITES ÉCOLES, DE LA RENAISSANCE À 1789

Au Moyen Age, le service divin reste la finalité première de la connaissance livresque. Sur cette enluminure, le peintre a mis en évidence la profusion des livres, autour des novices et du moine chargé de leur instruction. Pour que l'école soit proposée aux laïcs, il faut attendre que l'instruction religieuse soit jugée préférable à la «sainte ignorance».

L'école, fille de l'imprimerie et de la Réforme

Au règne de l'écrit rare, celui de la copie manuscrite, succède à partir de la fin du XVe siècle une ère nouvelle, marquée par la prolifération de l'imprimé. Cette entrée dans la «galaxie Gutenberg» induit un besoin d'alphabétisation en même temps qu'elle fournit, avec le livre, le moyen de son essor.

beaulx abc belles heures

Complémentaire et parfois concurrent de l'imprimeur-libraire, le colporteur (ci-contre) diffuse vers les bourgades et les villages des abécédaires et des «heures» (livres de prières), mais aussi des catéchismes, des «rudiments» et des «civilités». Il contribue ainsi à développer une pratique élémentaire et familiale de la lecture qui n'est pas toujours relayée par l'école.

Or la religion réformée, cette «hérésie du livre», prône la lecture personnelle de la Bible. Dès 1524, Luther adresse un appel pressant aux *Magistrats de toutes les villes allemandes* : «Il nous faut en tous lieux des écoles pour nos filles et nos garçons afin que l'homme devienne capable d'exercer convenablement sa profession et la femme de diriger son ménage et d'élever chrétiennement ses enfants.» En 1529, il innove en composant un *Petit Catéchisme,* dialogué

CATECHISME
C'EST A DIRE LE FORMV-
laire d'inſtruire les enfans en la Chreſtien
te, faict en maniere de dialogue, ou le Mi-
niſtre interrogue, & l'enfant reſpond.
PAR IEHAN CALVIN.

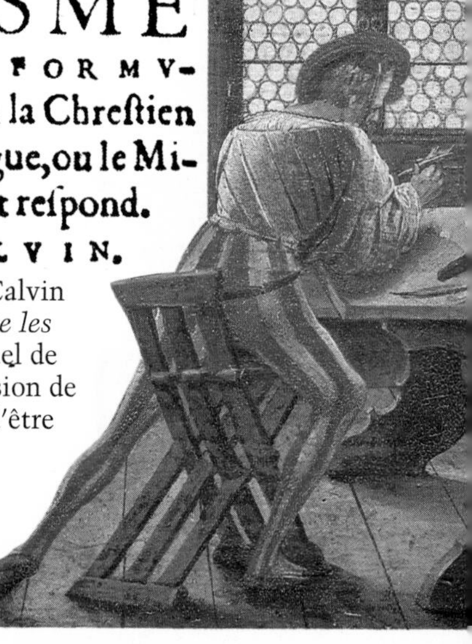

de manière élémentaire. De son côté, Calvin publie en 1541 le *Formulaire d'instruire les enfants en la chrétienté,* premier manuel de catéchisme construit selon une succession de demandes et de réponses susceptibles d'être apprises par cœur par les enfants.

L'école, église des enfants

La Contre-Réforme se préoccupe d'abord d'améliorer la formation du clergé, en créant des séminaires et des congrégations tournées vers la formation pastorale. Ensuite seulement, de l'instruction des enfants. Bientôt des catéchismes, approuvés par les évêques, leur sont spécialement destinés et l'école paraît le moyen le plus approprié pour lutter contre l'hérésie et moraliser la jeunesse. Ainsi, au cours du XVIIe siècle, l'œuvre scolaire de la Contre-Réforme se concrétise, faisant surgir un réseau d'écoles urbaines de charité. En 1654, un prêtre parisien, Jacques de Batencour, publie l'*Escole paroissiale,* premier traité pédagogique consacré à l'école élémentaire. A Lyon, Charles Démia met en place une véritable structure d'enseignement élémentaire pour les pauvres. Après avoir fondé, en 1667, une école gratuite, il crée, avec l'appui des échevins, un bureau des écoles dont dépendent bientôt seize établissements et un séminaire qui assure la formation des maîtres.

Sur ce portrait, J.-B. de La Salle (1651-1719) tient en évidence les *Règles des frères des écoles chrétiennes.* Figure emblématique des écoles de charité, il fut béatifié en 1888.

Un novateur : Jean-Baptiste de La Salle

D'une toute autre ampleur est l'œuvre de Jean-Baptiste de La Salle. Issu d'une famille de notables rémois, il renonce en 1678 à une carrière prometteuse pour se consacrer à la scolarisation gratuite des pauvres. Il poursuit son entreprise à Paris, à partir de 1688, puis à Rouen où s'installe en 1705 le séminaire des maîtres de l'Institut des Frères des écoles chrétiennes. La somme de son expérience pédagogique est exposée dans *La Conduite des écoles*

Cette enseigne bâloise (à gauche), due à Hans Holbein le jeune, représente un maître et deux écoliers. Il ne s'agit point d'enfants mais plutôt de jeunes gens s'initiant aux écritures commerciales. Pour les milieux du négoce, il existe en effet, depuis le Moyen Age, une formation pratique privilégiant l'écriture et la comptabilité. En France, les maîtres-écrivains offrent un enseignement de ce type.

Souvent fils cadet d'artisan ou de paysan, le magister de village, ici peint par Jan Steen (1626-1679), est toujours d'humble extraction. Le mince bagage qu'il a reçu à l'école ou auprès du curé de sa paroisse et qu'aucune formation spéciale n'est venue compléter lui suffit pour être engagé par une communauté d'habitants, sous réserve qu'il possède un certificat de bonne vie et mœurs et soit approuvé par le curé du lieu puis par l'évêché. L'affaire est alors conclue, souvent par contrat. Dans tel exemple champenois, en 1752, le maître fait la classe dans le temps laissé libre par sa lourde charge de sacristain. Il perçoit, suivant l'usage, une rétribution variable selon le niveau de ses élèves : «Savoir ceux qui seront à l'alphabet quatre sols (par mois), ceux qui liront cinq sols et ceux qui écriveront six sols.»

chrétiennes (1720). Présents exclusivement en milieu urbain, les «Frères ignorantins» sont implantés dans la moitié nord de la France ainsi que dans la vallée du Rhône, le Dauphiné, la Provence et le Languedoc. En 1779, l'Institut dirige 410 classes que fréquentent 32 000 élèves !

L'école des Frères introduit une pédagogie inspirée des collèges d'humanités, en plein essor depuis le XVIe siècle. La taille des établissements, dotés d'au moins trois maîtres et souvent davantage, permet de créer des classes de niveau au sein desquelles l'utilisation de livres identiques se prête à un enseignement simultané des élèves. Le groupe d'enfants est devenu une classe. Un lieu où règne, en principe, l'atmosphère silencieuse d'une discipline révérentielle, ponctuée par les signaux sonores qui commandent le début et la fin des exercices ou de la leçon. Une surveillance de tous les instants et un

système subtil de punitions et de récompenses, autre emprunt au collège, complètent ce dispositif. Cette pédagogie, alors nouvelle dans les écoles élémentaires, préfigure la forme scolaire des siècles suivants : l'école publique du XIXe siècle s'y ralliera en la laïcisant.

Le claquement de la férule sur la main de l'élève puni est en même temps un avertissement pour les autres. Au besoin, les verges et le martinet entreront en action. A ces châtiments corporels, J.-B. de La Salle conseille de substituer des «pénitences». Mais l'habitude de battre les enfants était encore trop ancrée dans les mœurs : les Frères ignorantins eux-mêmes étaient réputés pour avoir la main lourde...

L'humble réalité des petites écoles rurales

Pour l'heure, dans les villages de cette France si majoritairement rurale, l'école, lorsqu'elle existe, présente un bien plus pauvre visage. L'initiative d'engager un maître revient à la communauté des habitants, à moins qu'elle n'émane d'un riche fondateur. Dans tous les cas, la petite école rurale n'a pas de lieu propre : elle se tient dans une pièce du presbytère, une maison en location, une simple grange, ou chez le maître lui-même.

Ce «régent», recruté par contrat sous le contrôle de

Faire la classe n'est souvent qu'une des fonctions charitables assumées par les congrégations féminines, comme en témoigne cet abécédaire illustré qui rend hommage aux vertus des sœurs de Saint-Vincent de Paul. Tel acte de fondation d'une école des sœurs d'Ernemont, dans une paroisse rurale de Normandie en 1735, précise que les sœurs enseigneront aux filles «les principes de la religion [...], à lire, à écrire, l'arithmétique», mais qu'elles doivent également «visiter, saigner, panser et médicamenter les malades pauvres», «le tout à perpétuité [...] et gratuitement.»

l'Eglise, assume de multiples tâches qui font de lui l'auxiliaire du curé : maître d'école, catéchiste, bedeau, fossoyeur... quand il n'est pas en même temps artisan ou cabaretier ! Face à un groupe d'enfants d'âges variés, souvent filles et garçons mêlés, il pratique la pédagogie rudimentaire du mode individuel : chaque élève, à tour de rôle, vient épeler sur le psautier ou réciter un morceau d'oraison pendant que ses camarades travaillent à l'unique table d'écriture, ou s'adonnent à des activités bruyantes auxquelles le maître tente de remédier par quelque châtiment corporel !

Des petites écoles pour les filles

L'interdiction de la mixité par l'Eglise ne favorise guère la scolarisation des filles. Du moins, au XVIIe siècle, des congrégations féminines ouvrent des écoles gratuites pour les pauvres, telles les Ursulines, qui se proposent pour «fin et but principal l'instruction des petites filles» et connaissent un essor remarquable : 65 couvents dès 1620, plus de 300 en 1789 ; ou les Visitandines,

ā ē ī ō ū n̄

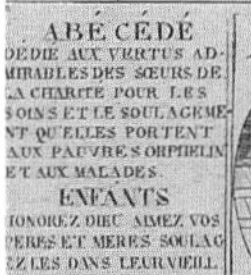

fondées en 1610 par François de Sales et Jeanne de Chantal. Certaines congrégations ont un rayonnement régional plus marqué. Ainsi, dans l'Est, la congrégation Notre-Dame, créée dès 1598 par Pierre Fourier, ou, dans l'Ouest, la congrégation de la Sagesse, fondée par Grignion de Monfort. Parmi les plus importantes, citons les Sœurs de Saint-Vincent-de-Paul ou encore les Sœurs de l'Enfant-Jésus, fondées à Rouen par Nicolas Barré en 1670. Prières, lecture et travaux d'aiguille, tel est le programme de ces écoles de charité. Dans les villages, ouvrir une école spéciale pour les filles est un luxe rare. Le rôle des congrégations est ici capital. Dans le seul diocèse de Rouen, les Sœurs d'Ernemont, constituées en congrégation en 1698, ouvrent, en moins d'un siècle, une centaine d'écoles rurales.

1698 : l'école catholique et obligatoire ?

Pour l'essentiel, le pouvoir royal abandonne à l'Eglise, aux villes et aux communautés rurales toute initiative et toutes dépenses relatives à l'enseignement élémentaire. Seule exception notable : la lutte contre les écoles réformées. A partir de 1669, Louis XIV met au service de la Contre-Réforme un arsenal de dispositions répressives. En 1685, l'édit de Fontainebleau, révocant

Le livre de lecture le plus utilisé dans les petites écoles est un abécédaire (à gauche) en latin orné d'une croix – d'où son nom de Croix de par Dieu. On y apprend, mécaniquement, l'alphabet, les syllabes, puis les mots entiers du Pater, de l'Ave et du Credo. L'épellation lettre à lettre justifie l'usage du latin, qui se prête mieux à cet exercice que le français, ignoré d'ailleurs de la plupart des sujets du roi. Les écoles des Lasalliens font exception à cette règle ; il est vrai qu'elles sont implantées dans les villes, plaques tournantes de la conquête du français. Quant à la méthode distrayante des abécédaires illustrés, elle est alors réservée aux pédagogies luxueuses...

Faut-il ouvrir une école pour les filles, en l'absence de sœurs enseignantes ? Dès avant l'essor des congrégations féminines, l'Eglise admettait comme un pis-aller le recours à des laïques : «La charge d'instruire les filles sera confiée à des veuves d'une honnêteté éprouvée ou à des matrones qui leur enseigneront avec soin la manière de vivre chrétiennement et la méthode de la lecture.» (synode de Bourges, 1584).

l'édit de Nantes (1598) décrète la suppression des écoles protestantes. La résistance des huguenots, qui poursuivent au sein des familles l'alphabétisation et la transmission de leur foi, justifie une mesure sans précédent : la *Déclaration royale* du 13 décembre 1698 pose en effet le principe d'une obligation scolaire sous l'égide de l'Etat et le contrôle de l'Eglise catholique.

Le texte prévoit un réseau de surveillance ecclésiastique des maîtres, et des parents qui n'enverraient pas leurs enfants à l'école, et définit le contenu de l'enseignement : les vérités de la foi, le rituel catholique, la messe quotidienne, enfin «apprendre à lire et même à écrire à ceux qui pourraient en avoir besoin». Quoique renouvelée en 1724, la *Déclaration*, simple mesure de circonstance, ne fut suivie d'effet que dans les régions fidèles au protestantisme, comme l'Aunis, la Saintonge, ou le Bas-Languedoc.

Les lumières contre l'instruction ?

Une fois apaisée la lutte contre l'hérésie, ni le roi ni son administration ne voient l'utilité d'instruire les paysans. Les propagandistes des lumières, guère davantage ! La formation des élites retient seule leur attention. La Chalotais, dans son *Essai d'éducation*

Chiffrer est le stade ultime et très facultatif de l'enseignement des petites écoles. Pour s'initier aux quatre opérations, on utilise des jetons, selon la méthode ancienne de l'abaque. Dans cet exemple (à droite), extrait d'une *Arithmétique par les jetons*, il s'agit de soustraire 3676 de 7897 : en opérant sur chaque ligne (des milliers, des centaines etc.), un reste de 4221 apparaît dans la colonne de droite. Ces mécanismes acquis, on pouvait passer du «jet à la main» au «jet à la plume», sur le papier, avec les chiffres arabes.

nationale soutient que «le bien de la société demande que les connaissances du peuple ne s'étendent pas plus loin que ses occupations». Voltaire l'en félicite par courrier : «Je vous remercie de proscrire l'étude chez les laboureurs.» Rousseau, valorisant chez l'homme du peuple la proximité de la

nature, émet un jugement similaire : «N'instruisez pas l'enfant du villageois car il ne lui convient pas d'être instruit» (*La Nouvelle Héloïse,* 1761).

Diderot ne partage ni ces réserves ni ce dédain. Turgot non plus, qui estime «qu'un paysan a les mêmes organes qu'un homme né dans une ville» et que «le travail du corps ne les occupe pas assez, dans le premier âge, pour qu'on ne puisse avoir le temps de les instruire dans beaucoup de choses».

Nombre d'ecclésiastiques – notamment dans le bas clergé – défendent également l'utilité de l'instruction populaire. En témoigne cette lettre des curés de l'archiprêtré de Vézelay à leur évêque, en 1769 : «il n'est pas possible de former de vrais adorateurs de Dieu, de fidèles sujets du roi, de bons citoyens, sans le secours de l'instruction.» L'Eglise serait-elle le plus ardent défenseur d'une éducation populaire? En réalité, elle est souvent divisée sur ce point, à mesure que croît l'obsession de la diffusion des «mauvais» livres.

Le peuple et l'école

Le peuple des villes, et plus encore celui des campagnes, reste longtemps réticent face à un enseignement dont il perçoit davantage le coût que l'utilité pratique. En 1789, la création d'écoles ne figure pas parmi les principales doléances populaires, guère plus qu'en 1614, à l'occasion des précédents états généraux. Néanmoins, en maintes régions, le magister ou le régent de village est devenu un personnage familier. Quand il vient à manquer, on se préoccupe de le remplacer. La lente émergence de la civilisation écrite confère à l'école un rôle de plus en

“Voilà sept à huit mois d'école qui viennent de s'écouler. Mes enfants, tâchez de ne pas oublier; emportez aux champs, quand vous y conduirez vos bestiaux, l'abrégé de la sainte Bible, que voici; [...] lisez-en ensemble quelques chapitres : cela vous entretiendra dans la lecture; les dimanches, écrivez quelques pages : c'est pour vous que vous travaillerez [...] Adieu mes chers écoliers; Dieu vous bénisse!”

Rétif de la Bretonne, *La Vie de mon père,* 1779

Le XVIIIe siècle voit fleurir une pléiade de méthodes de lecture, qui se veulent toutes plus distrayantes et efficaces les unes que les autres. Outre leur diffusion restreinte, elles ont en commun de rompre avec l'austère mémorisation de la méthode usuelle. Certaines, comme cet *Alphabet ingénieux, historique et amusant, pour les jeunes enfants,* édité en 1774 (à droite), sont illustrées : l'image stimule la mémoire tout en offrant à la curiosité et au plaisir de l'enfant les stéréotypes de la nature et de la société... sans négliger l'attrait des populations et des produits exotiques!

plus évident, au moins aux yeux des citadins et des notables de village. Pour les familles, la compétence du maître tend à prendre le pas sur sa «saine doctrine» religieuse. Ce nouvel état d'esprit, favorable à la diffusion de l'école, paraît lié à l'amélioration générale des conditions de vie au XVIIIe siècle.

La mesure de l'alphabétisation montre l'ampleur et les limites de l'œuvre accomplie. A la fin de l'Ancien Régime, 37% des Français sont assez

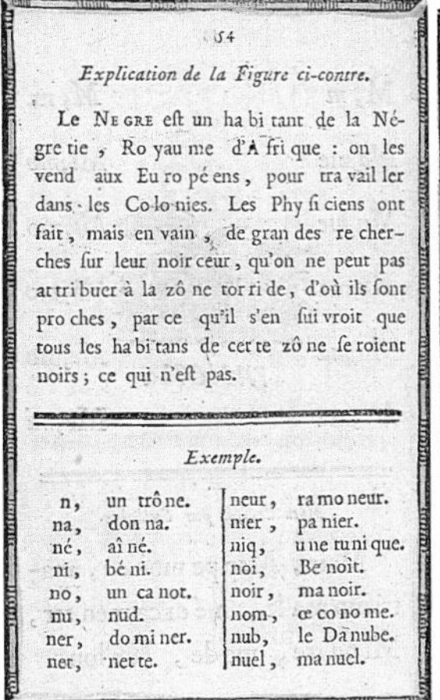

54

Explication de la Figure ci-contre.

Le NEGRE eſt un ha bi tant de la Né gre tie, Ro yau me d'A fri que : on les vend aux Eu ro pé ens, pour tra vail ler dans les Co lo nies. Les Phy ſi ciens ont fait, mais en vain, de gran des re cher ches ſur leur noir ceur, qu'on ne peut pas at tri buer à la zô ne tor ri de, d'où ils ſont pro ches, par ce qu'il s'en ſui vroit que tous les ha bi tans de cet te zô ne ſe roient noirs ; ce qui n'eſt pas.

Exemple.

n,	un trô ne.	neur,	ra mo neur.
na,	don na.	nier,	pa nier.
né,	aî né.	niq,	u ne tu ni que.
ni,	bé ni.	noi,	Be noît.
no,	un ca not.	noir,	ma noir.
nu,	nud.	nom,	œ co no me.
ner,	do mi ner.	nub,	le Da nube.
net,	net te.	nuel,	ma nuel.

55

Mots diviſés par Syllabes.

Ne, na tu r a li ſa tion, na vet te, na zo ne ment, né ceſ ſai re ment, Né ron, Né gre.

instruits pour signer leur acte de mariage, contre 21% un siècle plus tôt. Mais l'accès aux savoirs élémentaires est encore très inégalement réparti : au nord d'une ligne allant de Saint-Malo à Genève, le taux moyen d'alphabétisation avoisine 60% contre moins de 20% dans le reste du pays. Globalement, la France la plus alphabétisée est celle des villes et des campagnes riches. C'est aussi celle des populations denses et des régions les moins enclavées. Par ailleurs les régions de tradition réformée présentent des taux supérieurs à la moyenne, comme du reste les régions catholiques qui les bordent, car la concurrence religieuse a joué en faveur de l'école.

MAISTRES ESCRIVAINS JVREZ

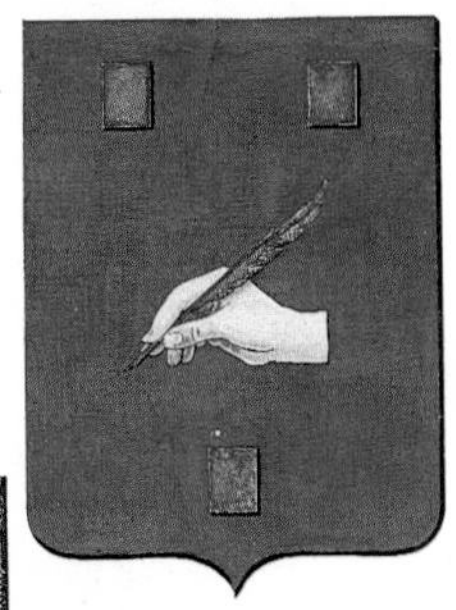

Enseigner et vérifier les écritures et la tenue des comptes figurent parmi les attributions traditionnelles des corporations de maîtres-écrivains. Impuissants à endiguer le flot montant des petites écoles, surtout gratuites, concurrence pour eux déloyale dès lors qu'on y apprend à écrire, ils se cantonnent de plus en plus à leur rôle d'experts auprès des tribunaux, portant par ailleurs, à un point jusqu'alors inégalé, l'art de la calligraphie. De futurs négociants suivent leur enseignement pratique : transcrits et conservés avec soin, les savoirs qui leur sont transmis constituent le viatique de leur activité professionnelle.

Du XIIIe au XVe siècle, les universités suffisaient à former une étroite élite du savoir : théologiens, médecins, juristes, parmi lesquels l'Eglise et l'Etat puisaient la plupart de leurs grands serviteurs. Avec les collèges, nés de la Renaissance et des réformes religieuses, c'est toute l'élite sociale qui prend peu à peu le chemin de l'école, pour y acquérir une culture nouvelle, humaniste et chrétienne, celle de «l'honnête homme».

CHAPITRE II

LA FORMATION DES ÉLITES SOUS L'ANCIEN RÉGIME

Bien avant l'école de charité et le collège classique, l'université s'est dotée d'institutions cohérentes. Après avoir subi maints avatars, ses grades, du baccalauréat au doctorat, nous sont toujours familiers.

Les universités : un legs médiéval

A l'époque de la Renaissance, le royaume de France compte une douzaine d'universités, dont les grandes créations du XIIIe siècle – Paris, Toulouse, Montpellier – ont fixé le modèle. Ces corporations autonomes se composent, en principe, de quatre facultés. La faculté des arts accueille des élèves de tout âge, pourvu qu'ils sachent lire, écrire, et qu'ils soient plus ou moins frottés de latin. On y enseigne les «arts libéraux» : le *trivium* (grammaire, rhétorique et dialectique ou logique) et le *quadrivium* (musique, arithmétique, géométrie, astronomie), autrement dit les sciences du discours et celles des nombres. La maîtrise ès arts donne accès aux trois facultés supérieures, de théologie, de droit et de médecine. En réalité les universités ne sont pas toutes aussi bien pourvues. Celle de Paris, la plus ancienne (1200-1210), l'emporte nettement par le prestige et le nombre d'étudiants. Mais à Montpellier, très réputée pour la médecine, Pantagruel, voulant étudier le droit, ne trouve «que trois teigneux et un pelé de légistes»...

En général, les facultés ne disposent pas de bâtiments propres. Après avoir utilisé des locaux de fortune, les enseignants officient dans les collèges de boursiers, initialement fondés pour héberger des étudiants pauvres, comme celui de Robert de Sorbon, créé en 1250, ancêtre de notre actuelle Sorbonne, ou le collège de Navarre sur la montagne Sainte-Geneviève. Des examens

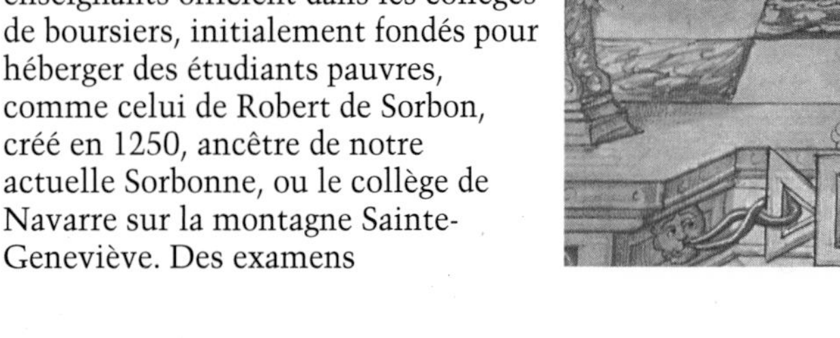

essentiellement oraux, sous forme de «dispute», permettent d'obtenir le baccalauréat, la licence, la maîtrise ès arts et, pour les facultés supérieures, le doctorat. Il

n'y a guère toutefois de cursus modèle : certains collectionnent les grades, d'autres se contentent de profiter le plus longtemps possible des privilèges judiciaires de l'université pour mener joyeuse vie.

Sclérose intellectuelle et guerres de Religion

A partir du XVIe siècle, le déclin des universités est sensible. L'essor de l'Etat monarchique est fatal à leur indépendance ; il leur faut, bon gré mal gré, rentrer dans le droit commun, sous la surveillance des parlements. Gardiennes des traditions intellectuelles et de l'orthodoxie religieuse, elles sont également en butte aux attaques des humanistes qui dénoncent la sclérose de la pédagogie scolastique et le formalisme des études théologiques.

Leur résistance opiniâtre contraint les nouveaux courants de pensée à se replier dans des cénacles privés ou au Collège royal, futur Collège de France, dont François Ier,

Trois images de la vie universitaire : ci-contre, la distribution des livres au collège d'artistes de l'Ave Maria, sur la Montagne Sainte-Geneviève ; les bâtiments de la Sorbonne, collège de théologiens, vers 1550, près d'un siècle avant les grands travaux réalisés sous Richelieu (en bas) ; enfin, une assemblée solennelle de docteurs, en bonnets et en robes, sous la protection rituelle et protocolaire de trois huissiers qui déambulent avec leur masse (page de gauche). Mais la chronique judiciaire fourmille d'anecdotes qui révèlent l'envers de ce décor édifiant. En ville, bien des escholiers, tout jeunes clercs tonsurés qu'ils soient, fréquentent la taverne et les prostituées plus que l'échoppe du libraire. De temps à autre éclatent des violences qui laissent quelques bourgeois et étudiants sur le pavé : en 1548, le parlement doit une nouvelle fois interdire aux escholiers le port «d'espées, bastons longs, pistolets à feu, chemises de mailles ou autres armes» et ordonner des perquisitions à leurs domiciles, jusque dans les collèges...

inspiré par Guillaume Budé, fonde en 1530 les premières chaires. Le philosophe Pierre Ramus en sera l'une des premières célébrités. Les progrès de la Réforme exaspèrent les tensions. Après 1560, les guerres de Religion, dont les effets se conjuguent avec ceux de la dépression économique, accélèrent la désorganisation de la vie universitaire. A la fin du siècle, la fréquentation moyenne de la faculté des arts de Paris est passée de plus de 1 500 à moins de 300 étudiants ! Dorénavant, catholiques et protestants ne s'assoient plus sur les mêmes bancs. Les universités nouvelles, Pont-à-Mousson, Reims ou Douai, créées pour faire pièce aux initiatives protestantes, sont de stricte obédience catholique.

Hostile à la tradition scolastique, Pierre Ramus (à gauche) est interdit d'enseignement par l'université de Paris en 1543. Une haute protection lui vaut ensuite d'être nommé principal du collège de Presles puis lecteur au Collège royal. Calviniste, il doit bientôt s'exiler. Rentré en France en 1571, il meurt l'année suivante, victime du massacre de la Saint Barthelémy.

Les collèges d'humanités : naissance de l'enseignement secondaire

Au début du XVIe siècle, il n'existe guère d'établissements intermédiaires entre les petites écoles et les universités. Pour pallier cette carence, un certain nombre de villes, dépourvues d'université, s'efforcent d'entretenir une «école de grammaire» où l'on enseigne, avec le latin, tout ou partie des disciplines des facultés des arts. Tributaires des finances urbaines, la plupart de ces écoles municipales ont une existence précaire.

Cette miniature de François Clouet immortalise la fondation du Collège royal par François Ier. A droite du roi : l'inspirateur du projet, l'humaniste Guillaume Budé qu'Erasme appelait «le prodige de la France».

Pourtant, un nouveau type de collèges suscite l'engouement des notables. Cette faveur est liée à la diffusion d'une pédagogie nouvelle, mise au point dès le XVe siècle aux Pays-Bas, dans les écoles des Frères de la vie commune. Innovation décisive : les élèves sont répartis en classes de niveau qui se succèdent annuellement (de la «huitième» à la «première»), selon une progression régulière des connaissances. Un examen permet d'accéder à la classe supérieure. Les élèves les mieux notés reçoivent des prix. La discipline intérieure repose en partie sur les élèves, qui sont, à tour de rôle, «décurions». Autre nouveauté : la pratique du théâtre, en latin, pour développer l'aisance oratoire. L'influence humaniste se lit, par ailleurs, dans le soin apporté à l'étude des auteurs anciens – Cicéron, Virgile, Salluste, etc. – garants de l'élégance du style, et source d'exemples moraux.

Ce modèle d'établissements, dont

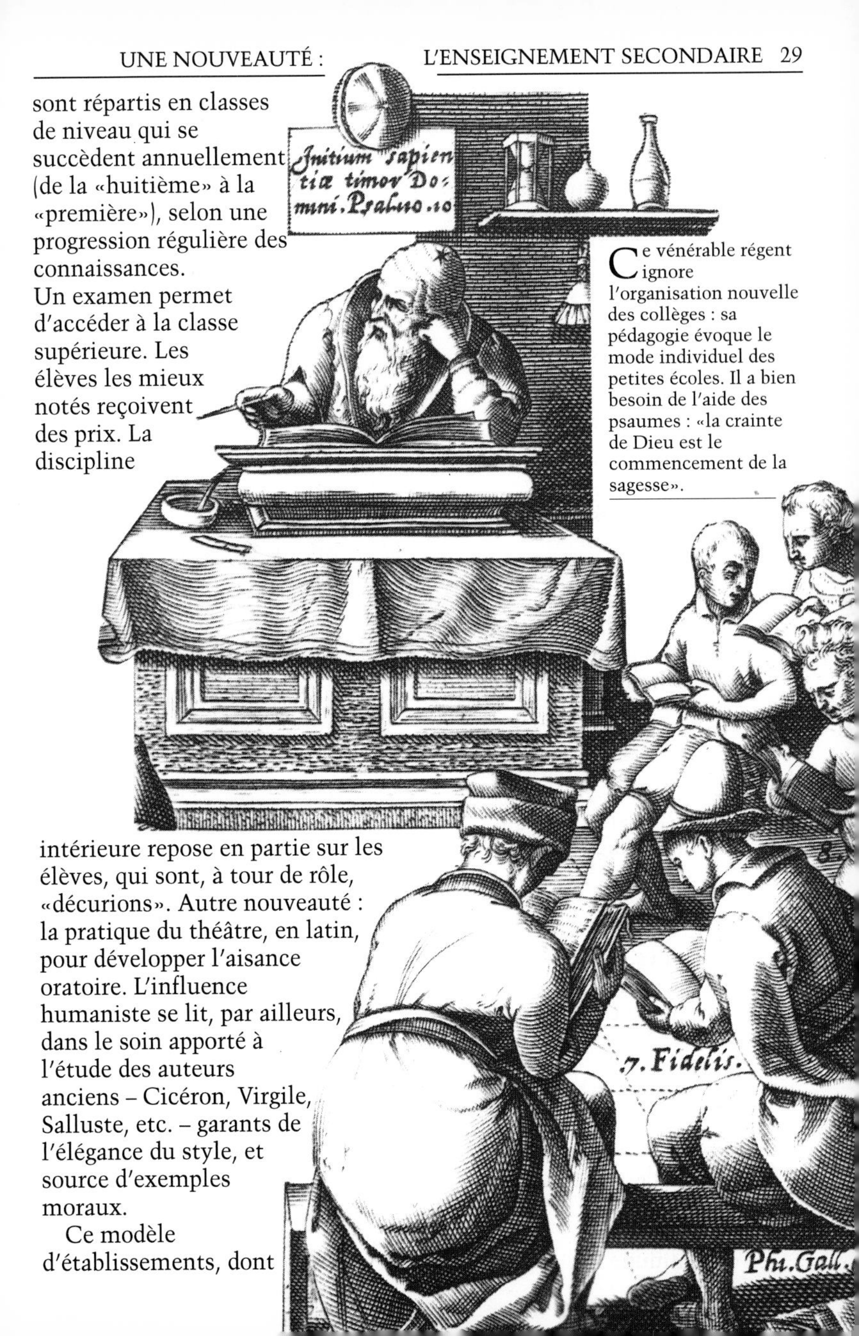

Ce vénérable régent ignore l'organisation nouvelle des collèges : sa pédagogie évoque le mode individuel des petites écoles. Il a bien besoin de l'aide des psaumes : «la crainte de Dieu est le commencement de la sagesse».

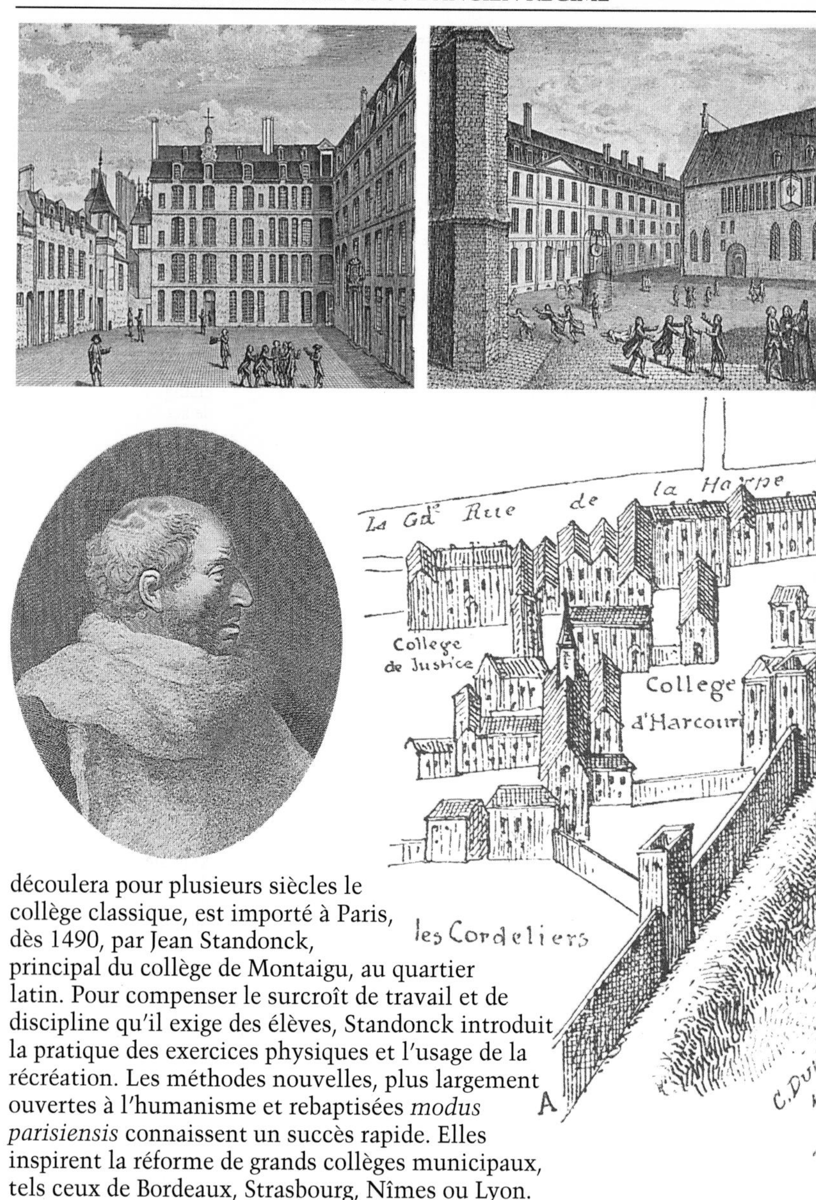

découlera pour plusieurs siècles le collège classique, est importé à Paris, dès 1490, par Jean Standonck, principal du collège de Montaigu, au quartier latin. Pour compenser le surcroît de travail et de discipline qu'il exige des élèves, Standonck introduit la pratique des exercices physiques et l'usage de la récréation. Les méthodes nouvelles, plus largement ouvertes à l'humanisme et rebaptisées *modus parisiensis* connaissent un succès rapide. Elles inspirent la réforme de grands collèges municipaux, tels ceux de Bordeaux, Strasbourg, Nîmes ou Lyon.

Les collèges à travers les conflits religieux

Les collèges n'échappent pas à la tourmente des guerres de Religion. Ils sont parfois le théâtre d'incidents tragiques. En 1561, à Lyon, un geste sacrilège commis pendant la Fête-Dieu exaspère la foule catholique : le collège de la Trinité est envahi et son principal, Barthélemy Aneau, qu'on soupçonne de protestantisme, est massacré sous les yeux de ses élèves. A cette date s'établit, comme pour les universités, une nette séparation entre établissements catholiques et réformés.

Les régions acquises à la Réforme ouvrent, sous le nom d'«académies», leurs propres collèges. Les plus importants, associant formation littéraire et théologie, sur le modèle prestigieux des académies de Lausanne et de Genève (créée par Calvin en 1559), servent à la formation des pasteurs. En quelques décennies, de telles académies s'ouvrent à Nîmes, Orthez, Orange, Montpellier, Montauban, Saumur, Sedan et Die.

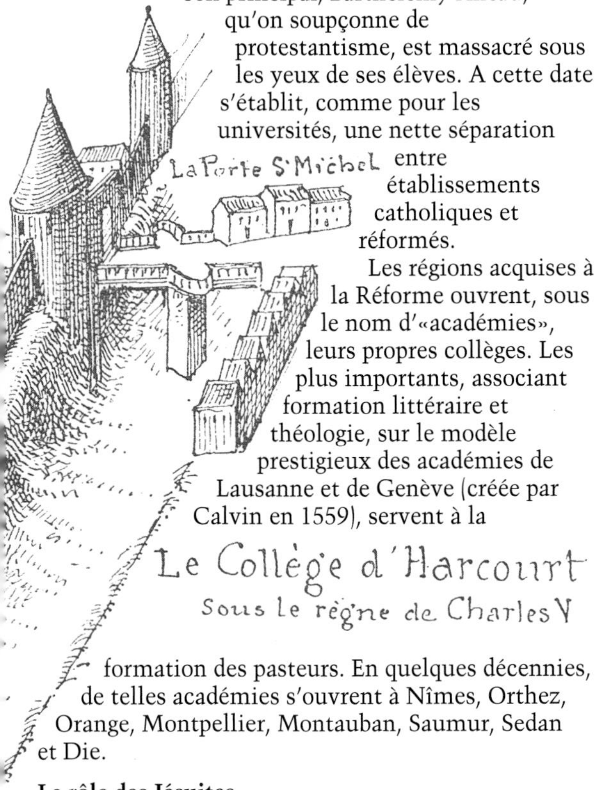

Le Collège d'Harcourt sous le règne de Charles V

Le rôle des Jésuites...

L'œuvre de la Contre-Réforme, en matière de formation des élites, est, pour l'essentiel, imputable aux Jésuites. La compagnie de Jésus, créée par Ignace de Loyola, instituée à Rome en 1540, ouvre, pour la France, son premier collège à Billom (Auvergne) en 1556. En 1640, elle en possède 70, dont le collège de

Vers 1600, Paris compte une cinquantaine de collèges, pour la plupart situés sur la montagne Sainte-Geneviève. Ceux de Montaigu, du Cardinal Lemoine, d'Harcourt, de Navarre et de Clermont sont parmi les plus prisés. Mais leur prestige n'a pas encore effacé la réputation individuelle des maîtres qui justifie de nombreux changements en cours de scolarité. Ainsi André Lefèvre d'Ormesson, fils d'un président de la Chambre des comptes, suit, à partir de 1586, les classes de grammaire du collège du cardinal Lemoine puis celles d'humanités du collège de Navarre ; pour la philosophie, le voici chez les jésuites du collège de Clermont, «sous le père Gaspard Séguiran [...] depuis excellent prédicateur et confesseur du roi Louis treizième» (*Mémoires*, 1652). Jusqu'à la fin du XVIIe siècle, la noblesse d'épée fréquente peu les collèges, hormis les plus renommés. Les académies nobiliaires, apparues à la fin du XVIe siècle, répondent mieux à sa vocation au métier des armes et à la vie de cour. Au XVIIIe siècle, le modèle humaniste et savant des collèges classiques est devenu commun à l'ensemble de l'élite nobiliaire.

Clermont à Paris, futur collège Louis-le-Grand. Pour s'installer, les Jésuites exigent des bâtiments vastes avec église attenante, et des revenus assurés. En contrepartie, ils font valoir la qualité de leur enseignement, qui est gratuit, et leur efficacité dans la lutte contre l'hérésie. A l'origine, il s'agit d'externats : c'est seulement au début du XVIIe siècle que des pensionnaires sont admis. La pédagogie, codifiée par la *Ratio studiorum* de 1599, s'inspire du *modus parisiensis* dont Loyola avait personnellement fait l'expérience sur les bancs du collège de Montaigu. Offrant une triple garantie de compétence, d'orthodoxie et de stabilité, les collèges de la

Compagnie connaissent un succès considérable. Vers 1760, ils sont plus d'une centaine. Répartis sur l'ensemble du territoire, ils n'accueillent pas moins de deux collégiens sur trois !

... et de leurs émules

L'exemple des Jésuites est, à partir du XVIIe siècle, suivi par d'autres congrégations. Dominicains et Minimes prennent en charge quelques collèges municipaux. Mais surtout les Oratoriens, destinés à la formation des prêtres, se tournent vers l'enseignement secondaire, après avoir créé un premier collège à Dieppe, en 1614. En 1760, ils en possèdent 26, des internats pour la plupart. A cette date, les Doctrinaires, initialement voués à la catéchèse, ont ouvert ou repris 27 collèges, principalement dans la France méridionale. Parallèlement, le réseau des collèges s'est diversifié. A côté

De jeunes grammairiens s'ébattent à la sortie du collège : «L'un saute, l'autre court, tous se meuvent, s'excitent / De tant de mouvement que résulte-t-il ? Rien. / Que de graves mortels souvent ainsi s'agitent / Toujours fort empressés, sans produire aucun bien.»

Dans le long dortoir du collège de Navarre, vers 1780, une porte entrouverte laisse apercevoir un collégien studieux. Le «Règlement pour les internes» alors en vigueur prévoit l'emploi du temps suivant : 5 h 30 : lever; 6 h à 7 h 45 : étude employée à apprendre l'écriture sainte; 8 h 15 à 10 h 30 : classe; 10 h 30 à midi : messe et étude; 13 h à 14 h : étude; 14 h 15 à 16 h : classe; 17 h à 18 h : étude; 18 h à 19 h : conférence pour les philosophes; 19 h à 20 h : études; 20 h à 21 h : souper et récréation.

des grands établissements dits de «plein exercice», offrant un cursus complet (classes de grammaire, d'humanités, de rhétorique, de philosophie), sont apparues de nombreuses «régences latines» ou «pédagogies». Limitées aux classes de grammaire, elles offrent à une clientèle plus proche et moins fortunée des études plus courtes, voire une première étape vers les vrais collèges. De la sorte, le maillage du royaume en établissements secondaires se resserre, en dépit de la suppression des académies protestantes en 1685, suite à la révocation de l'édit de Nantes.

Donnner, aux frais du roi, une éducation soignée à 250 jeunes filles de la noblesse pauvre, tel est le projet que Mme de Maintenon réalise à Saint-Cyr en 1686. Ci-dessous : deux élèves, vers 1690.

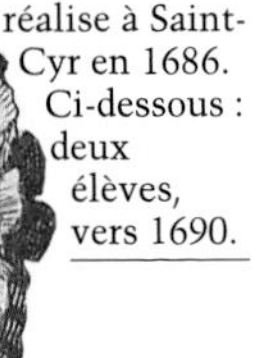

Des collèges pour les filles ?

Nul n'envisage alors d'instaurer un véritable enseignement secondaire pour les filles. Les femmes, pense-t-on généralement, ont besoin de connaissances pratiques et de bons principes plus que de savoirs intellectuels. Dans *Les Femmes savantes* (1672), Chrysale n'en demande pas davantage : «Faire aller son ménage, avoir l'œil sur ses gens, / Et régler la dépense avec économie, / Doit être son étude et sa philosophie.» Toutefois, dès le XVIIe siècle, une partie de la bourgeoisie et de l'aristocratie souhaite que ses filles acquièrent des notions de grammaire, d'orthographe ou de comptabilité. Ces exigences nouvelles trouvent un écho favorable dans le *Traité de l'éducation des filles* de Fénelon (1687).

Si restreint soit-il, un tel programme

excède les possibilités de la transmission familiale. A moins d'engager un précepteur, il suppose la fréquentation d'un cours privé ou d'une institution religieuse. De nombreuses congrégations ouvrent alors des pensionnats payants pour les jeunes filles de bonne famille. A ces pensionnaires destinées à la vie conjugale et sociale, on enseigne non seulement les principes de la religion et les disciplines nécessaires à la tenue de la maison, mais aussi l'histoire, la géographie et les arts d'agrément : dessin, musique, danse. Tel est, entre autres, le cas des Ursulines ou des Visitandines. Au XVIIIe siècle, le passage – plus ou moins long – par le couvent se généralise, signe de faveur, parmi les élites, envers un mode d'éducation qui certes retranche les jeunes filles de leur famille mais offre toutes les garanties souhaitables de moralité et de sociabilité.

A Saint-Cyr, Louis XIV ne souhaitait voir s'installer «ni un couvent, ni rien qui le sentît, [...] seulement une communauté de filles pieuses et sensées, capables d'élever les Demoiselles dans la crainte de Dieu et de leur donner l'instruction convenable à leur sexe». Sans s'écarter de cette ligne, le programme que Mme de Maintenon a tracé pour ses élèves contient, outre les connaissances pratiques et les arts d'agrément en rapport avec leur condition, une instruction solide, complétée par la pratique du théâtre, pour les aider à «parler (...) et à se présenter avec grâce» : toutes qualités bien utiles pour compenser la maigreur de leur dot... Racine en personne est mis à contribution, comme en témoigne la gravure du haut : «A trois heures (le 28 janvier 1689), le Roi et Monseigneur allèrent à Saint-Cyr, où l'on représenta, pour la première fois, la tragédie d'*Esther*, qui réussit à merveille. Toutes les petites filles jouèrent et chantèrent très bien. Le Roi, les dames et les courtisans, qui eurent permission d'y aller, en revinrent charmés.» (*Mémoires de la Maison de Saint-Cyr*).

Dans la noblesse et la bourgeoisie, la mère – ou la gouvernante – se charge des rudiments. Au delà, les enfants, surtout les garçons, sont confiés à un précepteur. Souvent, le collège prend ensuite le relais, mais il n'est pas rare que le précepteur y accompagne son ou ses élèves pour surveiller leurs études. Dans les familles princières, un gouverneur supervise les précepteurs qui forment une véritable équipe. C'est une fonction masculine, à quelques notables exceptions près : Mme de Maintenon s'était vu confier l'éducation des enfants (illégitimes, il est vrai) de Louis XIV et de Mme de Montespan. Un siècle plus tard, Mme de Genlis assume celle des princes d'Orléans (dont le futur Louis-Philippe) pour lesquels, en fidèle lectrice de l'*Emile*, elle déploie des trésors d'ingéniosité : projections avec une lanterne magique, constructions de maquettes d'après l'*Encyclopédie*, visites de manufactures, etc. Louis-Philippe ne se souviendra guère de ce modèle : il inscrira ses fils au lycée Henri-IV...

Former des techniciens et des ingénieurs

Au XVIIIe siècle, la technicité croissante des métiers engendre des besoins de formation que le collège classique et

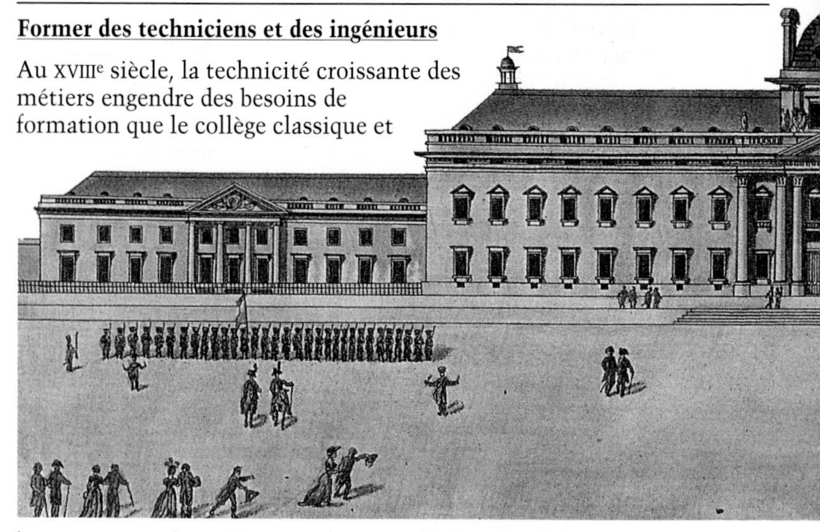

les universités laissent insatisfaits. C'est pourquoi les Frères des écoles chrétiennes ouvrent des pensionnats spécialisés pour répondre aux besoins locaux : comptabilité ou planimétrie, ou encore hydrographie et navigation, comme à Brest ou Vannes. Les initiatives de ce genre se multiplient. En 1741 s'ouvre à Rouen la première école de «dessin», formant des techniciens, des ingénieurs aussi bien que des peintres, dessinateurs ou graveurs. En 1789, le royaume en comptera 27. La formation au métier militaire subit la même évolution. Pour améliorer le recrutement, une Ecole militaire est créée à Paris en 1751; une autre à La Flèche en 1764. En 1776, la réforme du comte de Saint-Germain, ministre de la Guerre, instaure 12 collèges militaires, donnant accès à l'Ecole militaire de Paris, devenue Ecole supérieure des cadets : telle fut la filière suivie par le jeune Bonaparte.

L'Etat, chose alors inédite, intervient en créant des écoles d'ingénieurs, qui intéressent au premier chef son administration civile ou militaire. En 1747 est fondée l'Ecole des ponts et chaussées, qui présente d'emblée les principales caractéristiques des grandes écoles, si typiques du système français depuis lors :

Victimes de leur sclérose, concurrencées par les collèges, les séminaires et les écoles spéciales, les universités ne doivent guère leur survie qu'au monopole de la délivrance des grades... contre espèces sonnantes et trébuchantes. Quoique leur nombre se soit accru, notamment grâce aux territoires annexés, elles ont pour la plupart cessé d'être, à la fin de l'Ancien Régime, des foyers de rayonnement intellectuel et même de réelle formation.
A droite, le recteur et les doyens de l'université de Perpignan, en tenue de cérémonie, d'après une gravure du XVIIIe siècle.

un nombre de places très inférieur aux candidatures, ce qui confère aux préparations (futures classes préparatoires) une importance décisive ;

L'Ecole militaire, dont les bâtiments, dûs à Gabriel, sont achevés en 1756, devient en 1776 la clef de voûte d'un enseignement rénové, qui s'efforce de réaliser la synthèse du collège classique et des anciennes académies nobiliaires. Ci-dessus, l'Ecole vue du Champ de Mars, vers 1810.

un programme très chargé qui implique une réelle assiduité ; enfin, un concours de sortie dont l'issue est capitale pour la carrière. Dans un esprit analogue est créée en 1748, pour les besoins de l'armée, l'Ecole royale du génie, à Mézières, dans les Ardennes. Réputée pour le haut niveau de ses études mathématiques, elle est l'ancêtre de l'Ecole polytechnique. En 1783 s'ouvre également, à Paris, l'Ecole des mines.

SECOND
JEU DE CARTES
HISTORIQUES,
CONTENANT UN ABRÈGE
DE L'HISTOIRE
DE LA MONARCHIE FRANÇAISE,
Depuis Pharamond jusqu'à l'établissement de la République, orné des portraits des 66 Rois, gravés d'après les meilleures médailles, et destiné
des deux sexes.
PAR E. J.
A LILLE.
Chez VANACKERE, Libraire-Imprimeur, Grande-Place.
ET A PARIS,
Chez H. NICOLLE, à la Librairie stéréotype, rue des Petits-Augustins, n° 15.

Une affaire d'État ?

L'expulsion des Jésuites en 1762, sous la pression des parlements, fournit l'occasion d'un grand débat pédagogique. Qu'allait-on faire de leurs collèges ? Jusqu'en 1765, pas moins d'une dizaine d'ouvrages paraissent chaque année sur cette matière ! Quelques titres émergent, dont l'*Emile* de Rousseau (1762), l'*Essai d'éducation nationale* de La Chalotais (1763) ou le *Mémoire sur l'éducation publique* de Guyton de Morveau (1764). Rousseau mis à part, qui conteste le principe même du collège, le souhait d'une modernisation de l'enseignement secondaire est général. Pour s'accorder au monde moderne, le collège, pense-t-on, doit faire une plus large place au français (le latin étant encore la langue usuelle des établissements classiques), aux sciences, aux langues étrangères, à la géographie et à l'histoire récente. Au-delà des contenus de

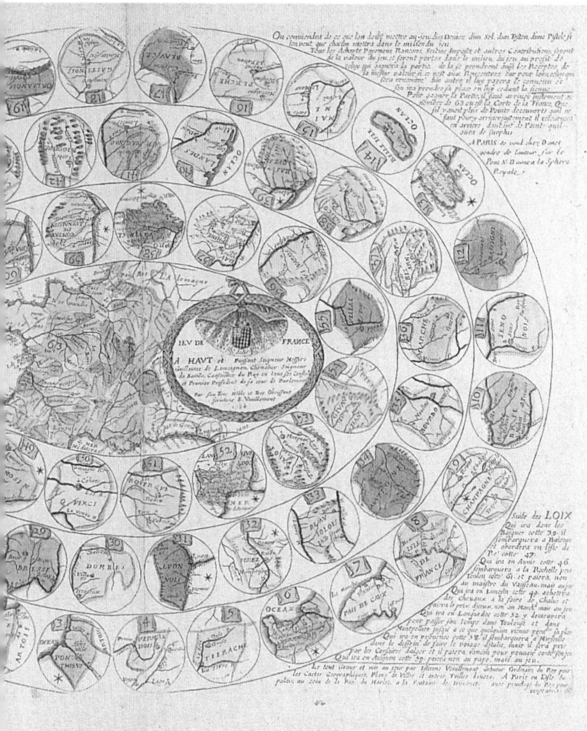

l'enseignement, la controverse porte sur les principes. Pour le clergé, l'enseignement est avant tout un devoir de l'Eglise. Dans l'opinion éclairée, il tend à devenir une affaire d'Etat. Lamoignon, premier président au parlement de Paris, le déclare nettement en 1783 : «L'éducation doit être sous l'inspection de la puissance publique parce qu'elle doit être toute dirigée pour l'utilité générale et pour le bien de l'Etat.» Mais dans l'immédiat, aucune réforme globale des collèges n'est mise en œuvre. Les anciens établissements des Jésuites sont placés sous la tutelle de bureaux d'administration où sont représentés les cours de justice et les municipalités. Et pour donner aux Bons Pères qu'on vient d'évincer des successeurs compétents, est créé, en 1766, le concours de l'agrégation...

La culture dispensée par le collège repose sur le roc des humanités classiques. Son idéal réside dans la perfection du discours, qui suppose à la fois l'aisance conceptuelle et le maniement parfait de la langue, écrite et orale. Parmi les auteurs canoniques, les orateurs anciens figurent toujours en bonne place. Thèmes, versions, versification, amplifications et déclamations n'épuisent pourtant pas l'activité des collèges. Les sciences (chez les Oratoriens plus que chez les Jésuites) occupent une place croissante. L'histoire et la géographie s'introduisent sous la forme de jeux didactiques, stimulant la production des éditeurs d'estampes en «jeux du blason» ou «des fortifications» ou encore (ci-contre) en jeux de l'oie de géographie, jeux de cartes historiques etc. Les rares manuels de géographie destinés aux collégiens sont encore à peu près dépourvus d'illustration, sinon en frontispice, où le modèle péceptoral est toujours à l'honneur : la connaissance de la géographie n'est-elle pas un élément clé de l'éducation princière ?

Oct 1857.

La Révolution pose le principe de la responsabilité de l'Etat en matière d'éducation. Napoléon en restreint le champ à l'enseignement supérieur et surtout secondaire, laissant de côté l'école du peuple et l'instruction des filles. Les lycées et collèges, ce «puissant empire du milieu», sont un enjeu pour lequel s'affrontent l'Eglise et la puissance publique. Cette lutte d'influence est arbitrée, en dernier ressort, par les choix de la clientèle bourgeoise.

CHAPITRE III

ÉTUDIANTS ET COLLÉGIENS : LES NOTABLES À L'ÉCOLE (1789-1880)

Deux images de la distinction sociale qui s'attache alors aux études secondaires. Page de gauche, un jeune bourgeois dont l'uniforme de lycéen souligne l'appartenance à la sphère culturelle des notables. Seul face au peintre, il affiche, à dix ans, l'assurance précoce qui sied à l'enfance d'un chef. Ci-contre, la distribution des prix au collège : l'institution se met en scène sous le regard des familles.

La Révolution : ruptures et fondations

Les débats des assemblées révolutionnaires amplifient les critiques anciennes formulées à l'égard des collèges et des universités. Si le rapport de Talleyrand (septembre 1791) préconise encore des «écoles de district» de type humaniste, le plan de Condorcet (avril 1792) prévoit des instituts résolument modernes : les sciences, en particulier mathématiques, y tiennent la première place.

Dans l'immédiat, la Révolution liquide l'héritage monarchique. Les collèges sont privés de ressources par la vente de leurs biens (mars 1793), tandis que leur personnel religieux est frappé par l'obligation du serment puis par l'interdiction des congrégations (août 1792). Au cours de l'été 1793 disparaissent les écoles militaires, bientôt suivies par les universités. La Convention innove en créant, à l'instigation de Lakanal, membre du Comité d'instruction publique, des «écoles centrales départementales» qui accueillent leurs premiers élèves en 1796. Pièces maîtresses de l'enseignement secondaire jusqu'en 1802, elles s'inspirent des instituts de Condorcet et de leur idéal encyclopédique. Par leur organisation pédagogique, elles sont l'antithèse des anciens collèges : pas d'instruction religieuse, pas de répartition en classes ni de programmes imposés; les élèves choisissent parmi les cours qui leur sont offerts : dessin, histoire naturelle, langues anciennes et vivantes, à partir de 12 ans; mathématiques, physique et chimie, à partir de 14 ans; grammaire, belles-lettres, histoire et législation, au-delà de 16 ans. A leur apogée, vers 1800, elles parviennent à scolariser environ 10000 élèves : moins du quart des effectifs secondaires de 1789.

La Convention fonde également des écoles spéciales, pour la formation d'ingénieurs ou de praticiens de haut niveau, comme les écoles de santé, héritières des anciennes facultés de médecine, ou l'Ecole centrale des travaux publics qui ouvre ses portes en décembre 1794. Celle-ci, rebaptisée Ecole polytechnique, dispense un enseignement scientifique approfondi à de futurs ingénieurs qui

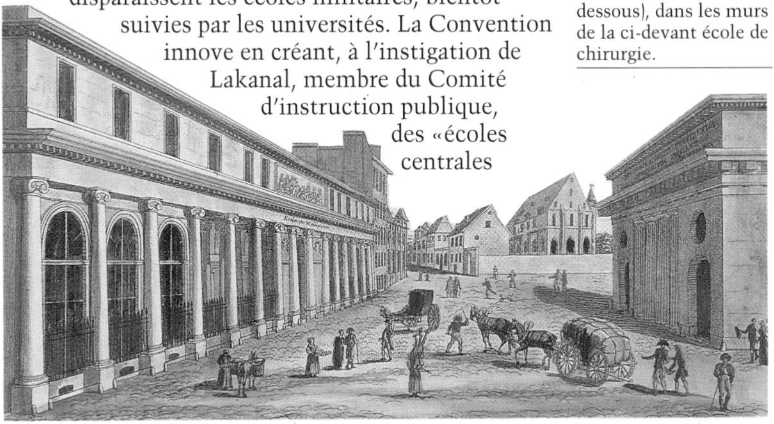

Une création révolutionnaire : le polytechnicien (page de gauche). Une re-création : l'école de santé de Paris (ci-dessous), dans les murs de la ci-devant école de chirurgie.

«L'enseignement [des instituts] sera partagé par cours, les uns liés entre eux, les autres séparés. [...] La distribution en sera telle qu'un élève pourra suivre, à la fois, quatre cours, ou n'en suivre qu'un seul. [...] On pourra même, pour chaque science, s'arrêter à tel ou tel terme, y consacrer plus ou moins de temps; en sorte que ces diverses combinaisons se prêtent à toutes les variations de talents.»

Rapport de Condorcet, avril 1792

Proscrit par les Montagnards en 1793, Condorcet (à gauche) n'a pas vu naître les écoles centrales, sa revanche posthume...

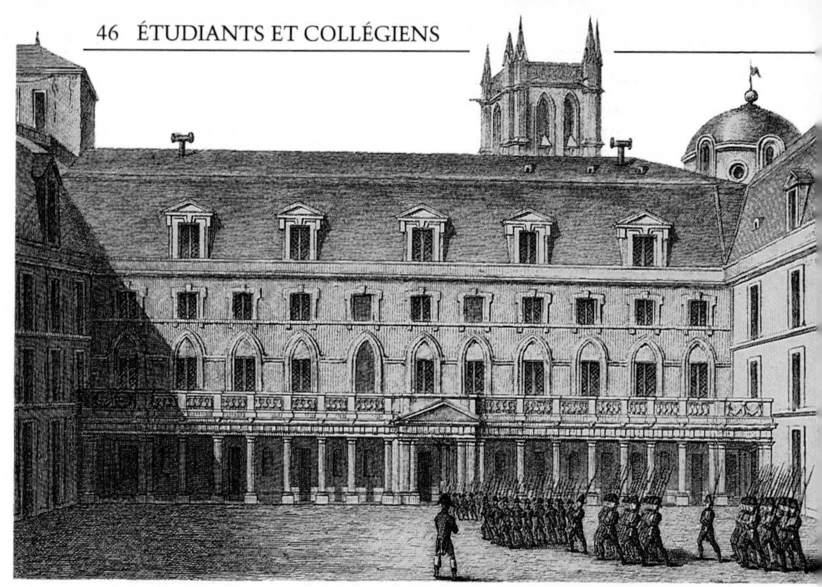

achèvent leur formation dans les «écoles d'application», issues des grandes écoles techniques de la fin de l'Ancien Régime : Mines, Ponts et Chaussées, Génie, etc.

D'autre part sont créés des établissements de recherche et d'enseignement, ouverts à un plus large public, tels le Muséum national d'histoire naturelle, successeur du Jardin du Roi, ou le Conservatoire national des arts et métiers, tout à la fois école et musée de l'industrie. Fondé en octobre 1795, l'Institut national des sciences et des arts, conçu comme le plus haut établissement de recherche, couronne l'ensemble de l'édifice mis en place par la Révolution.

Dans les murs de l'ancienne abbaye Sainte-Geneviève, sur la «montagne» du même nom, le Directoire installe, en octobre 1796, l'école centrale du Panthéon. A la rentrée 1804, l'école centrale se métamorphose en lycée Napoléon (futur lycée Henri IV). Un proviseur à poigne, Augustin de Wailly, y fait régner sans faille l'esprit du nouveau régime : les élèves sont divisés en «compagnies», avec sergents et caporaux. Ci-dessus, les lycéens à l'exercice, en ordre serré, l'arme sur l'épaule.

La remise en ordre consulaire et impériale

Après le coup d'Etat de brumaire (novembre 1799), la refonte des institutions scolaires est à l'ordre du jour. La loi du 11 floréal an X (1er mai 1802), mise en œuvre par Fourcroy, directeur de l'Instruction publique, supprime les écoles centrales, dont on dénonce alors le manque de rigueur et de discipline. Leur succèdent deux types d'établissements au cursus parallèle : les lycées, entretenus par l'Etat et les collèges, gérés par des communes ou des particuliers. Napoléon poursuit cette réorganisation par la loi du 10 mai 1806 qui fonde, «sous le nom d'Université impériale, un corps exclusivement chargé de l'enseignement et de l'éducation publics dans tout l'Empire».

La nouvelle structure implique en théorie un monopole de l'Etat sur l'enseignement. Le système prévoit pourtant l'existence d'établissements privés mais ceux-ci doivent être autorisés et verser une redevance à l'Etat. Seuls échappent au cadre universitaire les séminaires, créés librement en application du concordat de 1801. «Tant qu'on n'apprendra pas dès l'enfance – indique l'Empereur – s'il faut être républicain ou monarchique [sic], catholique ou irréligieux, l'Etat ne formera point une nation [...] il sera constamment exposé aux désordres et aux changements.» Pourtant, deux secteurs essentiels, l'école primaire et l'instruction des filles restent *de facto* en marge. L'Etat napoléonien privilégie la formation de ses élites administratives et militaires. L'Université porte la marque de la centralisation du régime. L'Empire est découpé en académies, placées sous la tutelle de recteurs. Au sommet, l'autorité appartient à un «grand-maître», assisté d'un conseil et subordonné au

Avec le retour des vacances, le pensionnaire, ici chargé de prix et de lauriers, peut enfin goûter la douceur des retrouvailles familiales et de l'effusion maternelle. Pour sa part, le jeune Adolphe Thiers, que n'attendait point une famille aussi unie, ne fut, semble-t-il, pas malheureux au lycée impérial de Marseille dont il suivit tout le cursus, de 1808 à 1815 : «Si je souffrais quelquefois, l'étude me faisait oublier mes privations, et je trouvais un allègement à mes peines en un lieu où les enfants ne le cherchent guère, je veux dire au collège dont le régime tout militaire me donna une santé inébranlable et aussi l'habitude que j'ai toujours conservée de me lever à cinq heures du matin.» Ci-contre, un lycéen sous l'Empire, en tenue réglementaire.

ministre de l'Intérieur. Les membres de la corporation universitaire prennent leurs grades dans les nouvelles facultés. Les professeurs sont en principe astreints au célibat. Assignés à résidence dans leurs lycées, ils prennent leurs repas à la table commune et le port de la robe professorale fait partie de leurs obligations.

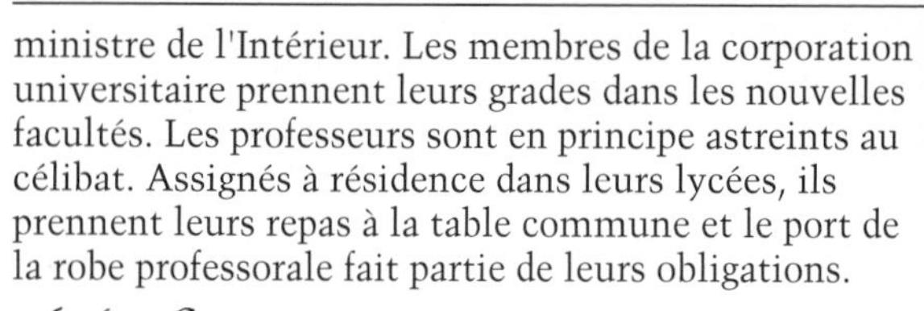

Collège Royal
~~LYCÉE~~ DE GRENOBLE.

CERTIFICAT D'ÉTUDES ET DE CONDUITE.

Pour ou contre le monopole ?

En 1815, après avoir envisagé le démantèlement de l'Université, la monarchie restaurée choisit d'en assurer le maintien. Instrument jugé docile, elle pouvait servir à de nouvelles fins et notamment à la reconquête catholique des notables. La charge de grand-maître, un moment abolie, est rétablie, en 1822, au profit de Mgr de Frayssinous. Avec son successeur, Vatimesnil, l'instruction publique dispose même, pour la première fois, d'un ministère à part entière (1828).

Sous le régime libéral de la monarchie de Juillet, l'Université connaît un premier âge d'or. Son conseil, où siègent des universitaires réputés tels Cousin, Villemain, ou Saint-Marc Girardin, détient de réels pouvoirs. Son administration se développe : les inspecteurs généraux effectuent en province des tournées régulières. Mais l'Université n'est pas à l'abri de vigoureuses attaques : les milieux confessionnels, écartés des affaires, font désormais campagne contre le monopole et réclament la liberté totale des établissements privés.

La loi de mars 1850, votée à l'instigation du ministre Falloux, leur donne

satisfaction en établissant la liberté de l'enseignement secondaire. Désormais tout Français âgé de vingt-cinq ans, titulaire d'un baccalauréat et ayant enseigné pendant cinq ans, peut ouvrir une école secondaire. L'ancien monopole universitaire, il est vrai, était

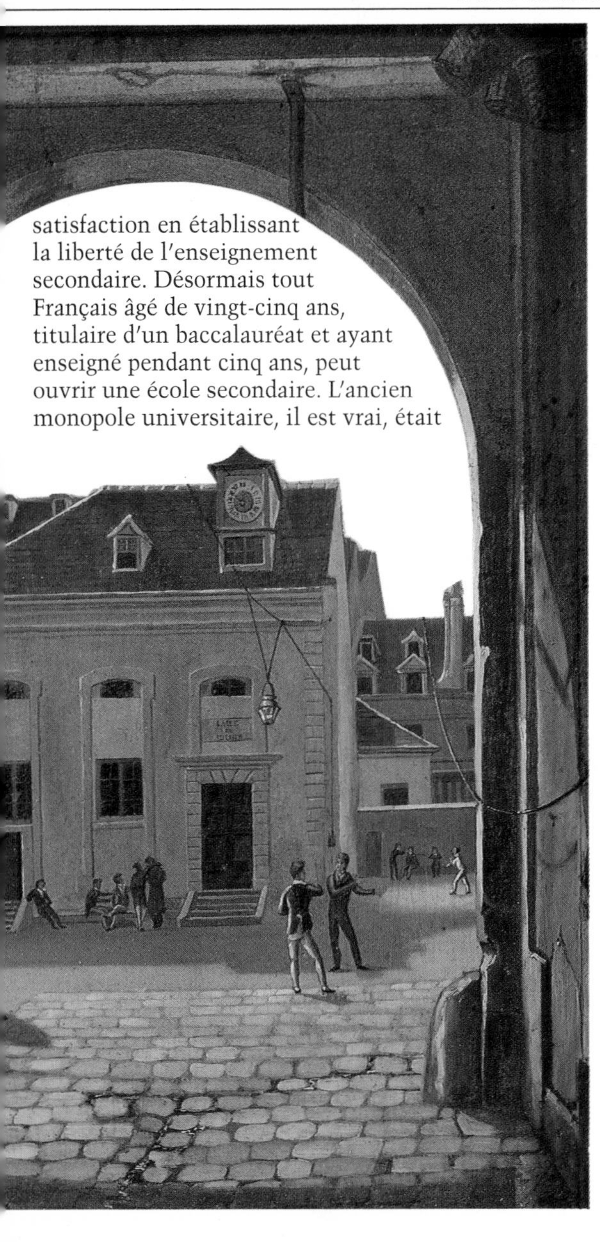

Pierre de Lanneau (1758-1830, à gauche), ancien régent au collège de Tulle, quitte l'habit ecclésiastique sous la Révolution et est élu maire d'Autun. En l'an VII, devenu sous-directeur du Prytanée, nom provisoire du collège Louis-le-Grand, il entreprend de louer les bâtiments, tout proches, de l'ancien collège Sainte-Barbe, alors désaffectés. Sous sa direction, le nouveau collège (ci-contre) acquiert rapidement une renommée flatteuse, offrant l'exemple rare d'un grand établissement privé non confessionnel. Sainte-Barbe entretient d'étroites relations avec l'Université. Les élèves de ses classes secondaires fréquentent en externes les cours de Louis-le-Grand. Ses classes préparatoires sont réputées : vers 1875, bon an mal an, 40 % des élèves intègrent une grande école. Jaurès et Péguy y ont préparé le concours de Normale Sup.

devenu de plus en plus théorique, et depuis 1844, les écoles privées n'étaient plus soumises à la redevance. De sorte que la loi Falloux stimule l'essor de l'enseignement privé, surtout confessionnel, plus qu'elle ne le crée de toutes pièces. Elle introduit par ailleurs, au conseil supérieur de l'Université, des représentants des cultes et de l'enseignement privé, sans toutefois permettre la création de facultés «libres».

Sept ans de réclusion ?

Lycéens et collégiens portent l'uniforme. Ils sont, pour la plupart, pensionnaires. Le régime de l'internat, avec ses règles austères, son hygiène rudimentaire, son horaire strict ponctué par le roulement du tambour évoque immanquablement la caserne... L'écrivain Edmond About, né en 1828, n'en a pas gardé un très bon souvenir : «les bons élèves restaient sur pied ou plutôt assis jusqu'à dix heures du soir. Sur cette journée de dix-sept heures, nous avions à peu près deux heures de récréation et pour peu qu'un pauvre petit homme, assis quinze heures par jour, se fût agité sur son banc, on le condamnait à passer la récréation dans un travail d'expéditionnaire : le pensum. Et l'on nous disait : "Messieurs, le collège est à l'image de la vie."»

Du lycéen première manière au collégien de la monarchie de Juillet, et à ses maîtres, vus par Gavarni (vers 1840) : l'impression d'une certaine mélancolie...

La prédominance de l'internat est liée à la pédagogie des collèges. Le temps consacré à l'étude, sous la surveillance des répétiteurs, excède largement celui passé en cours. L'accent est mis sur le devoir écrit, plus que sur la leçon magistrale. En classe, l'activité essentielle consiste à préparer ou corriger les devoirs.

Le privilège des humanités

Depuis la création des lycées en 1802, le latin est redevenu la discipline reine. La vieille querelle des classiques et des modernes n'est pas éteinte pour autant. Au delà des débats corporatifs, l'enjeu porte sur la finalité de l'enseignement secondaire : les humanités caractérisent un modèle de formation affranchi de l'utilité sociale immédiate. Là réside leur valeur et, à terme, leur fragilité. Pour l'heure, seule leur hégémonie, préjudiciable à l'essor des grandes écoles scientifiques, est remise en cause.

En 1852, le ministre Fortoul tente de résoudre le problème en créant, dans les lycées, une bifurcation à l'issue de la quatrième, entre une filière latin-grec et une autre latin-sciences. C'est un échec. L'un de ses successeurs, Victor Duruy met fin à l'expérience en 1865, en s'efforçant de mieux équilibrer lettres classiques et sciences. De nouvelles disciplines font alors leur apparition, comme l'histoire contemporaine et les langues vivantes. Celles-ci sont loin encore d'acquérir leurs lettres de noblesse : lorsqu'elles figurent au concours général, prestigieuse compétition ouverte aux élèves de tous les lycées de France, les potaches baptisent l'épreuve «le prix des bonnes» par allusion aux gouvernantes étrangères présentes dans les meilleures familles…

Le succès des collèges catholiques

En 1812, les lycées et collèges – publics ou privés – comptent plus de 50 000 élèves. Les 100 000 sont atteints vers 1850. Etablissements publics et privés sont alors à part égale. Les collèges catholiques, stimulés par la loi Falloux, connaissent ensuite une croissance rapide. Avec l'appoint des séminaires, ils accueillent vers la fin du siècle près de 100 000 élèves, dépassant les effectifs des établissements publics (87 000). Ce succès est un aspect du retour vers la religion d'un nombre croissant de notables, associant volontiers laïcité et péril social. Il a aussi des raisons

"Je suis en retenue jusqu'à nouvel ordre, de midi et demie à une heure et demie. C'est une punition générale, pour avoir murmuré contre un maître. Mais probablement on nous exemptera bientôt. Je te l'ai vite écrit, de peur que tu ne vinsses ou papa lui même pour me voir à cette heure là. Je t'en prie n'oublie pas le caleçon bleu, [dans la] petite armoire de la première chambre. Je t'avertirai dès que la retenue sera levée."

Charles Baudelaire, pensionnaire au lycée Louis-le-Grand, lettre à sa mère, 1838

BODIN

Quatre scènes de la vie de collège : la récréation, en attendant le roulement du tambour ; la retenue, haut-lieu du pensum ; la sortie des classes, grand moment de défoulement. Enfin, un moment exceptionnel et solennel : le jury de Saint-Cyr s'est déplacé pour l'examen des candidats.

pédagogiques : les familles apprécient le modèle éducatif des collèges confessionnels, l'attention particulière qu'ils portent à la formation non seulement intellectuelle mais morale de leurs fils. Les Jésuites, à nouveau autorisés (27 collèges ouverts en 1870) offrent les meilleures références en la matière.

Une poignée d'étudiants

La fondation de l'Université impériale a fait renaître de leurs cendres les facultés de médecine, de droit et de théologie auxquelles s'ajoutent, nouvelles venues, des facultés de lettres et de sciences. Médiocre succès ! La France de Louis-Philippe ne compte encore que quelques milliers d'étudiants. Le cap des 10 000 ne sera pas franchi avant 1875... Les facultés de droit

et de médecine, quoique peu nombreuses, sont de loin les plus fréquentées. Quant aux facultés de lettres et de sciences, elles ne délivrent encore, vers 1850, qu'une soixantaine de licences ! Seule une poignée d'étudiants qui se destinent au professorat les fréquentent avec un minimum d'assiduité. Les cours, semblables à des conférences publiques attirent occasionnellement des auditeurs mondains... La grande affaire des facultés reste bel et bien l'organisation des examens et la délivrance des grades, eux aussi

Dans la France de Louis-Philippe, le fossé qui sépare l'enseignement médical universitaire de la pratique hospitalière est loin encore d'être comblé. La formation pratique des médecins nécessite, plus que jamais, l'appoint des écoles préparatoires qui se développent auprès des hôpitaux des grandes villes. La scène à gauche signale un progrès : le professeur (en habit), accompagné de ses élèves (en tenue de ville), est venu à la clinique tâter le pouls d'un malade.

Ci-contre, un cours d'ostéologie animale au Muséum, en 1875, devant un public visiblement hétérogène, étudiants et simples curieux mêlés. Paul Gervais, ici à l'œuvre, offre l'exemple d'une belle carrière universitaire : né en 1816, il est professeur à la faculté des sciences de Montpellier à vingt-cinq ans, doyen à quarante, puis professeur à la Sorbonne, avant d'occuper la chaire d'anatomie comparée du Muséum, à partir de 1868. Position éminente que consacrent la Légion d'honneur et un siège à l'Académie des sciences.

rétablis, du baccalauréat, de la licence et du doctorat.

Vers le milieu du siècle l'enseignement supérieur essuie de sévères critiques. On dénonce la pauvreté de ses moyens, son inadaptation aux besoins de la société. La comparaison avec la vitalité des universités allemandes assombrit le diagnostic. Après la victoire de la Prusse sur l'Autriche (1866), Renan déclare : «ce qui a vaincu à Sadowa, c'est la science germanique». Dans l'immédiat, Duruy crée l'Ecole pratique des hautes études (1868). Conçue comme un modèle de complémentarité entre l'enseignement et la recherche, on espère qu'elle jouera un rôle stimulant pour les facultés de lettres et de sciences. En 1875, tombent les derniers obstacles à la création de facultés libres. L'épiscopat décide aussitôt d'en implanter à Paris, Lille, Angers, Toulouse et Lyon.

La multiplication des écoles spéciales

Le succès des écoles spéciales est un trait marquant du système français d'enseignement supérieur. A celles déjà existantes, Bonaparte ajoute notamment l'Ecole spéciale militaire, installée à Saint-Cyr en 1808. La même année est rétablie, sur de nouvelles bases, l'Ecole normale de Paris, initialement créée par la Convention pour stimuler l'enseignement primaire. Ses élèves, désormais «formés à l'art d'enseigner les lettres et les sciences», se destinent au professorat des lycées et facultés. Devenue «supérieure» en 1843, l'Ecole s'installe peu après rue d'Ulm. En 1819, le Conservatoire des arts et métiers, (C.N.A.M.) redéfini comme «haute école d'application des connaissances scientifiques au commerce et à l'industrie», développe ses enseignements. C'est à Paris, encore, que se créent l'Ecole des chartes (1821) ainsi que l'Ecole de commerce (1820) et, en 1829, l'Ecole centrale des arts et manufactures (notre actuelle Ecole centrale), nées d'initiatives privées.

Chaque décennie apporte son lot de créations nouvelles. L'Ecole d'administration, ouverte en 1848, est peu après victime de la réaction politique. Elle renaîtra, dans un autre contexte et sous la forme d'une école privée, avec la fondation de l'Ecole libre des sciences politiques d'Emile Boutmy (1872).

A partir du Second Empire, l'essor économique favorise la création de nouvelles écoles d'ingénieurs dont l'Ecole des arts industriels de Lille (1854) et l'Ecole centrale lyonnaise (1857), puis d'écoles de commerce – au Havre, à Lyon, Marseille et Bordeaux – bientôt surclassées par l'Ecole des hautes études commerciales, fondée par la chambre de commerce de Paris en 1881. L'Institut national agronomique créé en 1848, supprimé en 1852, est rétabli en 1876, pour former des ingénieurs agronomes de haut niveau.

Conservatoire de machines et de modèles, centre de documentation sur les techniques et lieu d'enseignement, public et gratuit, le C.N.A.M. est, tout au long du siècle, un point de contact privilégié entre la science et l'industrie.

La prospérité de ces plus ou moins «grandes» écoles alimente un nouveau débat : viennent-elles pallier les carences des institutions existantes ou bien contribuent-elles à les aggraver en créant, par une sur-sélection systématique, des filières d'excellence qui détournent des facultés les meilleurs élèves ?

Les filières techniques et professionnelles

Au tout début du siècle, une filière encore étroite de formation

Quel que soit le renom de la Sorbonne (en haut, au début du XIXe siècle), les facultés nouvelles de lettres et de sciences brillent davantage par les individualités qu'elles comptent en leur sein que par le nombre de leurs étudiants. La fresque exécutée par François Flameng (à gauche) pour la nouvelle Sorbonne en 1889 rend hommage à quelques-unes de ces grandes figures : Edgar Quinet, François Villemain , François Guizot, Jules Michelet, Victor Cousin (debout), et Ernest Renan.

technique et professionnelle se concrétise avec les premières écoles d'arts et métiers, nées en 1800 et 1804, installées ensuite à Châlons-sur-Marne et à Angers. Une troisième école est créée à Aix-en-Provence en 1843. Ces établissements, initialement chargés de «former des chefs d'atelier et de bons ouvriers», tendent à devenir, compte tenu de l'étroitesse de la filière, de véritables écoles d'ingénieurs.

Mais, en règle générale, les écoles professionnelles sont laissées à l'initiative des patrons et des communes. A Lyon, l'école de la Martinière offre l'exemple d'une belle réussite en ce domaine. Fondée, grâce à un legs, en 1826, cette «école gratuite de sciences et d'arts industriels» rencontre un succès considérable. Dans de nombreuses villes s'ouvrent, également, des cours du soir, animés par d'anciens élèves du C.N.A.M. ou de l'Ecole polytechnique.

A la fin du Second Empire, Victor Duruy entend créer une vraie filière secondaire d'enseignement professionnel. D'où la naissance, en 1865, de l'enseignement secondaire spécial, à la fois général et pratique, tourné, selon les besoins locaux, vers les professions de l'industrie, du commerce et de l'agriculture. D'une durée de quatre ou cinq ans, à partir de la sixième, l'enseignement spécial est sanctionné par un diplôme spécifique et non par le baccalauréat. Pour ces écoles distinctes des lycées classiques, ont été créés une agrégation spéciale, une école normale (à Cluny) et un premier lycée, nous dirions pilote (à Mont-de-Marsan). Le succès est réel : 17 000 élèves en 1865, près de 23 000 élèves en 1875, soit respectivement 35 % et 41% des effectifs de l'enseignement secondaire public.

Pour les filles : un choix d'institutions privées

En l'absence de tout enseignement secondaire public féminin, les familles aisées ont à choisir entre les maisons d'éducation tenues par les sœurs et les pensions et cours privés laïcs. Les premières appartiennent soit à d'anciennes congrégations réapparues après le Concordat, soit à des congrégations nouvelles comme le Sacré-Cœur, Sainte-Clotilde ou l'Assomption qui mettent davantage l'accent sur la formation intellectuelle, tout en privilégiant l'éducation religieuse et mondaine.

Les établissements laïcs n'ont pas une finalité très différente. La marque de l'époque réside dans leur importance numérique. Vers 1845, on en dénombre à Paris plus de 250, accueillant environ 15 000 élèves,

Jour de fête et jour de gloire pour l'école industrielle de Strasbourg (ci-dessus) qui processionne à travers la ville, le 25 juin 1840. Dans un pays où le prestige des «arts libéraux» éclipse tous les autres savoirs, les «arts mécaniques» sont rarement ainsi à l'honneur.

Un cours du soir à Paris, en 1858. Commentaire du *Monde illustré* d'où provient cette gravure : «Le jeune artisan ne veut pas seulement [...] puiser chaque soir ces connaissances qui, en l'éclairant le transformeront en un ouvrier plus intelligent et plus habile; il fait mieux encore : le temps qu'il consacre ainsi à cultiver son esprit, il le dérobe à l'oisiveté ruineuse et dissolvante des cafés.»

soit trois fois plus que les pensions religieuses. D'autre part, l'absence de traditions contraignantes favorise la mise en œuvre de méthodes pédagogiques originales, inspirées de Rousseau, de Pestalozzi, ou d'un Jacotot dont la méthode universelle («Sachez une chose et rapportez-y tout le reste») connaît une gloire éphémère. Ces établissements, comme le cours d'éducation maternelle de Lévi-Alvarès, s'inscrivent volontiers dans la continuité de l'instruction familiale. La seule finalité professionnelle alors envisageable consiste dans la préparation des brevets de capacité de l'enseignement primaire ou des diplômes requis pour devenir maîtresse d'étude ou de pension.

Après 1850, l'enseignement secondaire des filles, bien plus encore que celui des garçons, devient l'affaire des congrégations. Les établissements laïques, financièrement plus fragiles, cèdent massivement la place aux pensions religieuses.

“C'était un assemblage de constructions, de cours et de jardins [...] mais cet ensemble hétérogène avait son caractère à lui, quelque chose de mystérieux et d'embarrassant comme un labyrinthe; un certain charme de poésie, comme les recluses savent en mettre dans les choses les plus vulgaires.”

George Sand, *Histoire de ma vie*, 1854

Ci-dessous, le couvent parisien des Dames augustines anglaises où G. Sand est entrée à 14 ans.

Ci-dessus, une leçon de chimie à la Sorbonne, dans le cadre des cours Duruy.

Le scandale des cours Duruy

Victor Duruy donne partiellement satisfaction aux libéraux en instituant des cours secondaires pour les jeunes filles (1867). Ces cours publics, placés sous la responsabilité matérielle des communes, visent la même clientèle sociale que les institutions religieuses. L'«instruction forte et simple» que préconise le ministre est dispensée en un cycle de quatre années, axé sur l'étude de la littérature française, des langues vivantes et du dessin. L'entreprise n'obtient pas le succès attendu et seules quelques municipalités progressistes assureront, après la chute de l'Empire, la pérennité des cours. La campagne orchestrée par les milieux cléricaux a contribué à ce demi-échec. La prétention de l'Etat de concurrencer l'Eglise dans l'éducation des «jeunes demoiselles» attire en effet sur le ministre libéral les foudres des autorités ecclésiastiques qui dénoncent «la conspiration de l'impiété» (Mgr Dupanloup).

Il reste que ces polémiques mettent à l'ordre du jour la question de l'accès des filles à un réel enseignement secondaire. Comme le proclame avec emphase le sénateur républicain Scherer, «il s'agit de savoir si le prêtre qui tient encore la femme recouvrera par son moyen l'empire sur la société ou si la société achèvera de s'affranchir du prêtre en lui enlevant la femme pour la faire participer à la culture et à la vie générale».

“Il faudrait fonder l'enseignement secondaire des jeunes filles qui, à vrai dire, n'existe pas en France. C'est au foyer domestique, dans le sanctuaire de la famille, que la jeune fille reçoit l'éducation du cœur et les premiers enseignements de la religion. Son instruction religieuse se poursuit et s'achève à l'église ou au temple, sous la direction des ministres de son culte. Mais [...] il faut à la femme une instruction forte et simple, qui offre au sentiment religieux l'appui d'un sens droit et aux entraînements de l'imagination l'obstacle d'une raison éclairée.”

Circulaire de V. Duruy, 30 octobre 1867

Dans la France des notables, l'école du peuple se développe sous la pression d'une demande sociale désormais irréversible. Il faut toutefois attendre Guizot et sa loi de 1833 pour qu'elle soit vraiment reconnue d'utilité publique. Lentement, ses moyens et ses méthodes s'améliorent : elle se professionnalise. L'Eglise y conserve, durablement, une influence prépondérante. A terme, confessionnelle ou non, l'école pour tous est en marche.

CHAPITRE IV

L'ÉCOLE ÉLÉMENTAIRE, DE CONDORCET À DURUY

Signe des temps nouveaux : pas de petite fille modèle qui ne sache, à la perfection, ses quatre opérations...

Education ou ré-éducation nationale ?

Les révolutionnaires, soucieux de rebâtir à neuf le vieil édifice social, ont accordé une attention particulière à l'enseignement du premier degré. De l'ancien sujet, soumis à Dieu et au Roi, il fallait faire un citoyen libre et éclairé. Plans, rapports, lois et décrets, souvent caducs avant même d'avoir reçus un début d'exécution, se succèdent alors, reflétant les tensions qui naissent d'un tel enjeu. Condorcet, qui présente son plan à l'Assemblée législative en avril 1792, assigne à l'école primaire de vastes ambitions.
A l'école incombe en effet la tâche de transmettre au peuple l'héritage des lumières. L'illustre mathématicien a foi dans les vertus de la liberté et de la raison : «Former d'abord la raison, instruire à n'écouter qu'elle, [...] tel est le principe sur lequel l'instruction publique doit être combinée.» L'école publique, qu'il imagine stimulée par la concurrence

L'INSTITUTEUR DES ARISTOCRATES

Caricature révolutionnaire : l'Eglise enseignante, sous les traits de Belphégor, instruit deux enfants de la noblesse, destinés l'un à l'armée, l'autre au clergé : «Il donna à l'un les principes de la cruauté et de la férocité et à l'autre ceux de la fourberie et de la perfidie.»

privée, sera laïque et gratuite, et les sexes égaux devant l'instruction. Son programme n'est pas mince : lecture, écriture, arithmétique, notions de grammaire, arpentage, toisé, leçon de choses, et la morale substituée à la religion révélée. Parmi ses amis Girondins et plus encore dans les rangs de la Montagne, s'exprime une position plus radicale : l'école de la nation doit être l'instrument de la régénération de l'homme et de la société. Elle aura certes mission d'instruire mais surtout de rendre tout un chacun «digne de la Révolution». Le 13 Juillet 1793, Robespierre expose à la Convention le projet de Le Peletier de Saint-Fargeau. Les «maisons d'éducation nationales» qu'il prévoit sont des internats obligatoires, tant pour les filles (de cinq à onze ans) que pour les garçons (de cinq à douze ans). Séparer l'enfant de sa famille n'est-il pas le meilleur moyen de le préserver des traditions révolues ? L'accent est mis, à la spartiate, sur l'exercice physique et la formation civique.

Rédigé entre septembre 1793 et avril 1795 par J.-J. Chaffard, élève de Jean-Baptiste Feraud, arithméticien et maître de pension à Auriol, près de Marseille, ce magnifique cahier de plus de 700 pages (ci-dessus et au centre), relié de cuir, atteste, en pleine Révolution, la continuité de l'enseignement pratique destiné aux futurs négociants, petits ou grands. La tradition des anciens maîtres-écrivains s'observe encore dans le soin et la fantaisie de l'ornementation calligraphique. Fils d'un fabricant de vermicelle, l'auteur de ce cahier d'arithmétique fera carrière dans la boulangerie.

Il est clair pourtant que la Révolution en guerre n'a pas les moyens d'accomplir son «rêve pédagogique». Par souci pratique, le décret Bouquier (19 décembre 1793), déjà, s'éloigne des projets de Le Peletier. A l'obligation scolaire, il associe la liberté, surveillée, d'ouvrir des écoles. La meilleure éducation n'est-elle pas, d'ailleurs, fournie par le spectacle des institutions révolutionnaires, la fréquentation des sociétés populaires ou la participation aux fêtes civiques ? En janvier 1794, la Convention décide de faire rédiger et diffuser dans tout le pays des manuels élémentaires conformes à l'esprit nouveau. Le catéchisme républicain entend se substituer à celui de la Contre-Réforme.

Des chimères planaient sur des ruines

Après Thermidor – reflux idéologique ou retour au réel – un décret voté à l'instigation de Lakanal en novembre 1794 abandonne l'obligation scolaire. Dès la rentrée suivante la gratuité est supprimée ainsi que la rétribution, par l'Etat, de l'instituteur. Dorénavant les écoles primaires sont laissées aux bons soins des autorités locales. Du moins est ouverte, à Paris, une Ecole normale, dont on espère – à tort – qu'elle essaimera dans les départements. De fait, la législation n'a guère eu de prise sur la réalité. Des quelque 23 000 écoles nouvelles prévues par le décret Bouquier, moins du tiers ont vu le jour. Loin de la fièvre des assemblées, les projets les plus hardis n'ont guère rencontré que l'incompréhension ou l'hostilité résolue des familles.

La méfiance qui s'en est suivie à l'égard des écoles

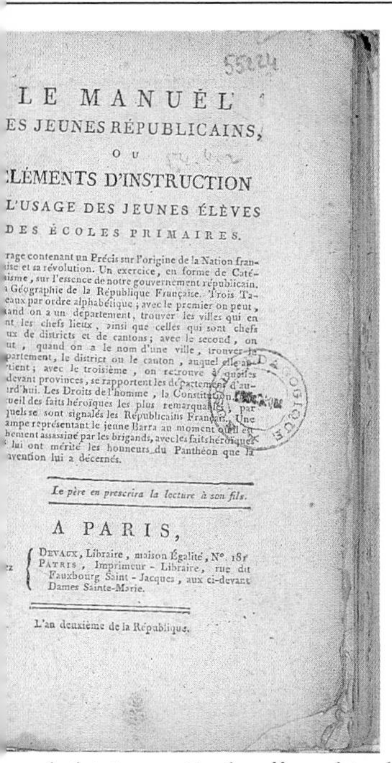

LE MANUÉL
ES JEUNES RÉPUBLICAINS,
OU
:LÉMENTS D'INSTRUCTION
L'USAGE DES JEUNES ÉLÈVES
DES ÉCOLES PRIMAIRES.

rage contenant un Précis sur l'origine de la Nation fran-
uise et sa révolution. Un exercice, en forme de Caté-
isme, sur l'essence de notre gouvernement républicain.
a Géographie de la République Française. Trois Ta-
eaux par ordre alphabétique ; avec le premier on peut,
uand on a un département, trouver les villes qui en
nt les chefs lieux, ainsi que celles qui sont chefs
ux de districts et de cantons ; avec le second, on
ut, quand on a le nom d'une ville, trouver le
partement, le district ou le canton, auquel elle ap-
rtient ; avec le troisième, on retrouve à quelles
devant provinces, se rapportent les départements d'au-
urd'hui. Les Droits de l'homme, la Constitution.
cueil des faits héroïques les plus remarquables, par
quels se sont signalés les Républicains Français. Une
ampe représentant le jeune Barra au moment où il est
hement assassiné par les brigands, avec les faits héroïques
lui ont mérité les honneurs du Panthéon que la
nvention lui a décernés.

Le père en prescrira la lecture à son fils.

A PARIS,

ez { DEVAUX, Libraire, maison Égalité, N°. 18
PATRIS, Imprimeur - Libraire, rue du Fauxbourg Saint - Jacques, aux ci-devant Dames Sainte-Marie.

L'an deuxième de la République.

de la République a assuré le succès des écoles «particulières» (privées), qui, bien souvent, ont échappé à la surveillance politique. En l'an VI, le département de la Seine en compte 2000 pour 56 écoles publiques ! De sorte que l'alphabétisation ne subit alors aucun recul significatif...

L'œuvre scolaire de la Révolution a pourtant fait date. Il en a subsisté un ensemble de grands principes. Les républicains des générations ultérieures y ont puisé leur résolution de bâtir une Ecole affranchie de l'Eglise et de faire de l'accès au savoir un droit et un devoir du citoyen. De Condorcet à Ferry, la filiation est ici manifeste.

Le projet révolutionnaire de multiplier les écoles impliquait d'élaborer des livres nouveaux, pour mettre à la portée de tous les premiers éléments des sciences. Sans attendre les choix définitifs de la Convention, des éditeurs proposent des catéchismes et des manuels (au-centre) destinés à la formation des nouveaux citoyens. Les Droits de l'Homme et la Constitution s'y substituent au Credo, souvent dans la même forme, avec le risque de remplacer un dogmatisme par un autre. La continuité du procédé pédagogique met également en valeur la religiosité profane qui se nourrit du récit des martyrs de la Liberté (ici le jeune Barra en frontispice), comme l'ancienne piété s'imprégnait des vies de saints.

L'école du peuple, parent pauvre de l'Université

L'Université napoléonienne soumet, en principe, toutes les écoles de l'Empire à l'autorité de l'Etat. Pour les «petites écoles» ce n'est qu'une clause de style... Elles restent en fait entièrement tributaires des initiatives locales. Une seule et unique école normale d'instituteurs voit alors le jour, celle de Strasbourg, grâce au soutien du préfet Lezay-Marnésia. Le Concordat a par ailleurs permis le retour des congrégations enseignantes. Les Frères ignorantins qui se réinstallent à partir de 1804, ont déjà près de 20000 élèves en 1815.

L'Etat avait-il les moyens d'agir autrement ? Les maigres ressources de l'administration universitaire suffisent à peine à organiser l'instruction des élites.

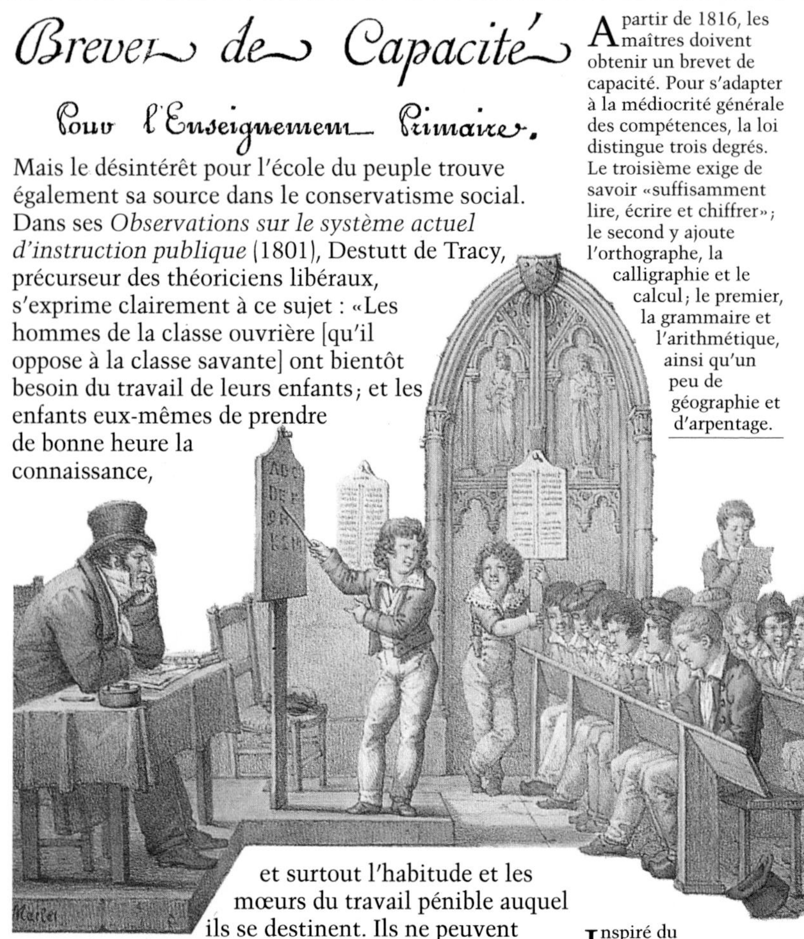

Mais le désintérêt pour l'école du peuple trouve également sa source dans le conservatisme social. Dans ses *Observations sur le système actuel d'instruction publique* (1801), Destutt de Tracy, précurseur des théoriciens libéraux, s'exprime clairement à ce sujet : «Les hommes de la classe ouvrière [qu'il oppose à la classe savante] ont bientôt besoin du travail de leurs enfants; et les enfants eux-mêmes de prendre de bonne heure la connaissance, et surtout l'habitude et les mœurs du travail pénible auquel ils se destinent. Ils ne peuvent donc pas languir longtemps dans les écoles. [...] Concluons donc que dans tout Etat bien administré [...] il doit y avoir deux systèmes complets d'instruction, qui n'ont rien de commun l'un avec l'autre.»

D'obscurs progrès

Quoique limitée dans ses ambitions, l'instruction primaire se développe à un rythme accru. Au début

A partir de 1816, les maîtres doivent obtenir un brevet de capacité. Pour s'adapter à la médiocrité générale des compétences, la loi distingue trois degrés. Le troisième exige de savoir «suffisamment lire, écrire et chiffrer»; le second y ajoute l'orthographe, la calligraphie et le calcul; le premier, la grammaire et l'arithmétique, ainsi qu'un peu de géographie et d'arpentage.

Inspiré du *monitorial system*, très en vogue en Angleterre, l'enseignement mutuel se signale par l'importance qu'il accorde aux moniteurs, choisis parmi les élèves les plus avancés.

de la Restauration, la France compte environ 20 000 écoles ; en 1829, déjà plus de 30 000. Localement, les initiatives se sont multipliées. Elles répondent à une demande croissante de la part du public. L'Etat cherche moins à stimuler directement ce mouvement qu'à étendre son contrôle réglementaire. Il veille à ce que «l'instruction primaire soit fondée sur la religion, le respect pour les lois et l'amour dû au souverain». Il fixe également, pour les instituteurs, une compétence minimale. A partir de 1816, les maîtres doivent être titulaires d'un brevet de capacité, d'ailleurs attribué d'office aux membres des congrégations. D'autre part, la surveillance des écoles est confiée à des comités cantonaux où siègent des représentants du clergé et de l'administration. Au village, le curé et le maire sont désignés comme surveillants spéciaux de l'école. A chaque maître de vivre en bonne intelligence avec ces deux autorités souvent rivales !

En cercles autour des moniteurs, les élèves apprennent à lire à l'aide de planches murales.

Les vicissitudes de l'Ecole mutuelle

La pénurie d'écoles et de maîtres dont le pays commence à prendre conscience est à l'origine du succès fulgurant de l'enseignement mutuel. En 1815, quelques grands bourgeois philanthropes, fondateurs de la Société pour l'enseignement élémentaire, introduisent en France les procédés du *monitorial system* mis au point en Angleterre par Bell et Lancaster. La classe, qui peut compter plusieurs centaines

En France, où le rôle de l'école est souvent surestimé, une frontière fragile sépare le débat pédagogique de la querelle politique. L'école mutuelle en offre un bel exemple. En 1816, le très libéral *Bulletin de la Société pour l'instruction élémentaire* y voit la «plus fidèle image d'une monarchie constitutionnelle» : «La règle, comme la loi, s'y étend à tout [...]; l'instituteur y représente le monarque [...]. La masse des élèves a ses droits ainsi que la nation. Ils sont tous égaux entre eux [...] et tous peuvent incessamment parvenir par le mérite, et seulement par le mérite.» La position cléricale, qui s'est durcie au fil des ans, place le débat sur le même terrain : «Toute la morale qui résulte d'une semblable méthode se réduit à ceci : que le meilleur des gouvernements est celui où l'on n'obéit qu'à ses égaux et où l'on peut aspirer sans cesse à devenir leur supérieur. C'est là évidemment un principe républicain» (abbé Affre, *Nouveau traité des écoles primaires...*, 1826). En haut, les «grands chapeaux» (autre sobriquet des Frères des écoles chrétiennes) s'efforcent de jeter à bas l'école mutuelle.

d'élèves, est divisée en groupes de niveau, variables selon les matières. Les exercices, savamment gradués, d'écriture, de lecture, d'arithmétique ou de catéchisme s'effectuent sous la conduite de «moniteurs», choisis parmi les meilleurs élèves. Le maître, véritable chef d'orchestre, coordonne du haut de sa chaire cette machine complexe, par un système de signaux visuels et sonores.

Dès 1820 plus de 1 500 écoles, dans toute la France, se disent mutuelles; elles accueillent 170 000 élèves. Les Frères ignorantins ne tardent pas à prendre ombrage de cette éclatante réussite. Ces maîtres laïcs qui n'hésitent pas à associer des élèves à leur magistère sont-ils bien qualifiés pour enseigner la doctrine chrétienne et l'esprit de soumission? Le décor est planté pour la première guerre scolaire de notre histoire contemporaine. L'opinion libérale est solidaire de l'école mutuelle, face à l'Eglise et aux ultras. L'accession de ces derniers au pouvoir en 1820 renforce le contrôle du clergé. L'enseignement mutuel en fait les frais : il ne lui reste bientôt plus que 250 écoles... Une embellie semble s'annoncer avec la Révolution de 1830 : en 1832, on dénombre à nouveau 1 500 écoles mutuelles.

Permanences rurales

Le conflit des mutuels et des Ignorantins agite la France urbaine plus que la France rurale. Dans les campagnes, la situation scolaire rappelle encore celle de l'Ancien Régime. En 1829, 14 000 communes sont toujours dépourvues d'école. Dans la plupart des villages l'école reste la classe unique, mixte par nécessité, qui se tient au logis du maître ou, si la place est par trop exiguë, dans une pièce quelconque affectée par la commune. Mobilier scolaire et outils pédagogiques y sont réduits au strict minimum. Le maître, dépourvu de

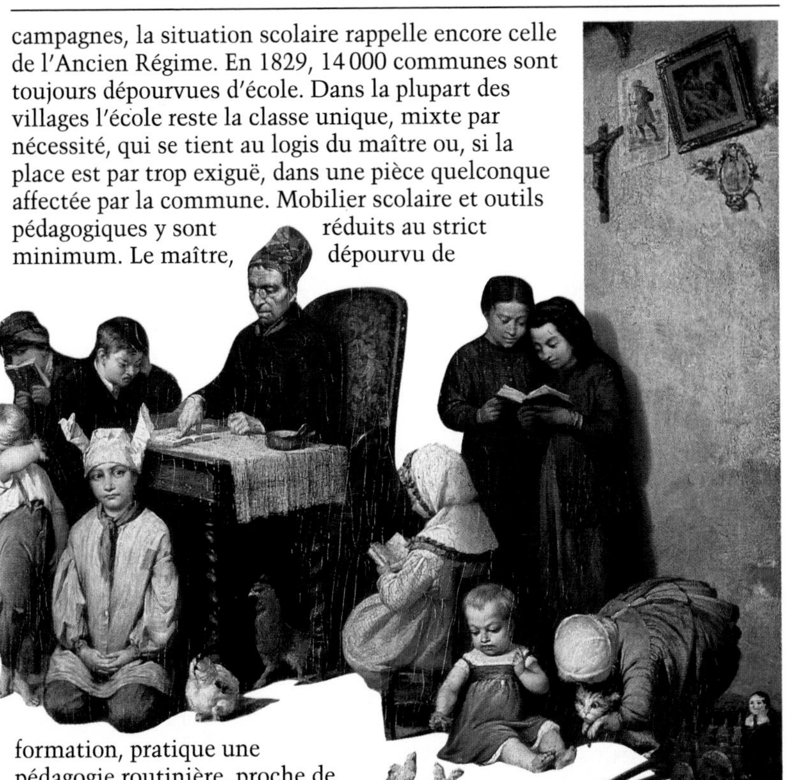

formation, pratique une pédagogie routinière, proche de la vieille méthode individuelle. Comment faire autrement avec des enfants dont beaucoup ne viennent à l'école qu'en l'absence de tâches plus urgentes à la ferme ?

D'autant que l'école n'est pas gratuite, excepté pour quelques indigents. De cette rétribution, le maître ne parvient pourtant pas à tirer un revenu décent ; il lui faut l'appoint de tâches annexes, au service du curé ou du maire, voire en exerçant un autre métier...

L'archaïsme de mainte école rurale offre au peintre tous les ingrédients d'une scène de genre désormais consacrée : l'absence de mobilier scolaire, le mélange des sexes et des âges, l'interrogation individuelle, l'élève qui se protège des coups, celui qui arbore le bonnet d'âne ; et chacun vaquant à ses occupations, parmi la volaille...

Une impulsion nouvelle : la loi de 1833

Pour Guizot, ministre de Louis-Philippe, le temps est venu de donner à l'école du peuple une impulsion nouvelle. A ses yeux, il n'y a là rien qui puisse effaroucher les conservateurs : «L'instruction primaire universelle – précise-t-il – est désormais une des garanties de l'ordre et de la stabilité sociale.» Avec la loi du 28 juin 1833, l'Etat intervient donc dans l'organisation de l'enseignement élémentaire. Toute commune de plus de 500 habitants est désormais tenue d'entretenir une école publique. On y enseignera «l'instruction morale et religieuse, la lecture, l'écriture, les éléments de la langue française et du calcul, le système légal des poids et mesures». Pour améliorer la formation des maîtres, il est prévu d'ouvrir une école normale par département. Les brevets de capacité sont remaniés et leurs exigences révisées à la hausse. Un brevet supérieur permet d'enseigner dans les écoles primaires supérieures (E.P.S.) qui doivent s'ouvrir dans les communes de plus de 6000 habitants.

L'Etat intervient également dans le débat pédagogique. Au grand désappointement des tenants de l'école mutuelle, Guizot tranche en faveur de la méthode simultanée, héritée des Frères des écoles chrétiennes, qu'il entend d'ailleurs dissocier de son origine congréganiste. Une revue nouvelle, le *Manuel général,* destiné à tous les maîtres, développe les orientations ministérielles. Dans un souci d'uniformisation, Guizot décide de faire rédiger et diffuser une série de manuels scolaires, puis il crée, en 1835, un premier corps d'inspecteurs primaires. Manifestement son action a stimulé le mouvement de scolarisation. En moins de vingt ans, le nombre des écoles a doublé (de 30000 à 60000), et celui des élèves est passé de

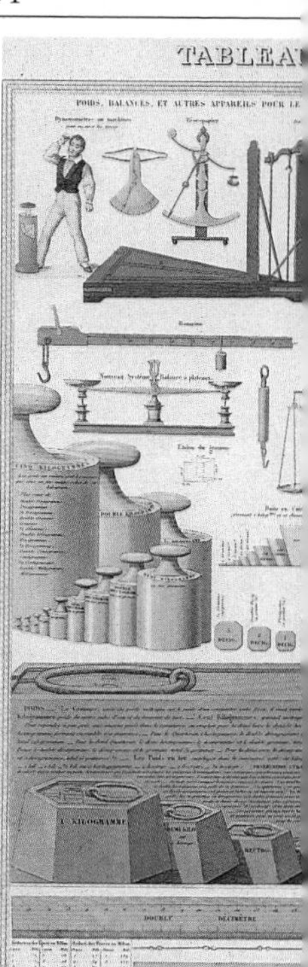

“Ne vous y trompez pas, Monsieur, bien que la carrière de l'instituteur primaire soit sans éclat, bien que ses soins et ses jours doivent le plus souvent se consumer dans l'enceinte d'une commune, ses travaux intéressent la société toute entière, et sa profession participe de l'importance des fonctions publiques.”

F. Guizot, lettre accompagnant la loi de 1833

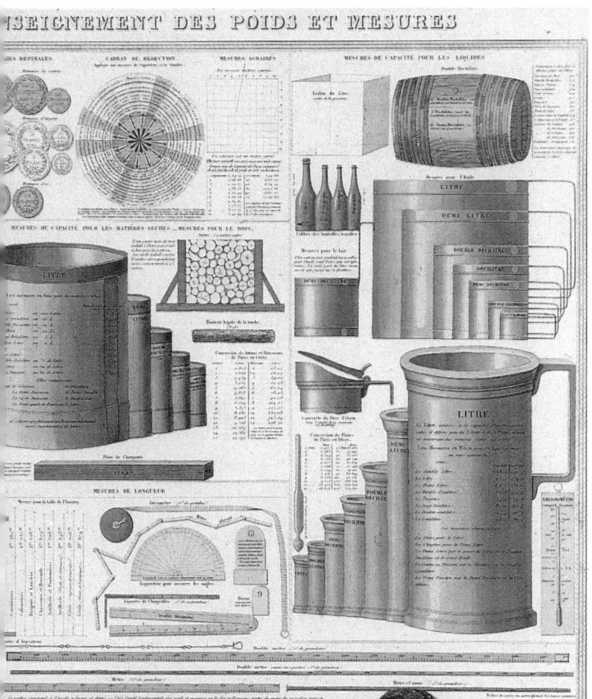

« La loi célèbre du 4 juillet 1837, reprenant les traditions de la Révolution, remit en vigueur le système métrique pur, et prohiba [...] l'emploi de toutes les anciennes mesures. Depuis le 1er janvier 1840, le système est imposé par la loi à tous les citoyens français, et les délinquants sont punis de l'amende ou de la prison » (F. Buisson, *Dictionnaire de pédagogie*, 1887). Cette double mise en garde, de la loi et de son commentaire à l'usage des maîtres, trahit l'importance attachée à une telle œuvre d'unité nationale. Elle ne doit pas faire oublier la longue persistance des mesures coutumières : en plein XXe siècle, les « délinquants » étaient encore légion.

1,4 à 3,5 millions. Parmi ceux-ci la part des filles s'est accrue (de 29 à 38 %). Les écoles normales de garçons, encore peu nombreuses à la fin de la Restauration, se sont répandues dans soixante-quatorze départements.

1848 : les instituteurs saisis par la politique

Le régime censitaire en vigueur sous la Restauration et la monarchie de Juillet laissait le maître d'école

Une salle de classe en 1843 où trône le buste de Louis-Philippe : le tableau noir, la carte de France, l'horloge, et l'atmosphère studieuse témoignent des lents progrès de l'organisation pédagogique.

et les familles auxquelles il avait affaire à l'écart du jeu électoral. Or la Deuxième République proclamée en février 1848 instaure le suffrage universel masculin. Voici les instituteurs transformés, à leur corps défendant, en agent éléctoraux ! Hippolyte Carnot, ministre de l'Instruction publique, adresse à leur intention une circulaire aux préfets : «Je les prie de contribuer pour leur part à fonder la République.» Ils savent également que le ministre souhaite améliorer leur sort, rendre l'instruction obligatoire, l'école publique gratuite et laïque, ouvrir des écoles pour les filles... Pour autant, seule une minorité s'engage dans le combat politique.
Il n'en faut pas davantage pour que la vague de réaction qui succède aux émeutes de juin 1848 ne s'abatte sur toute la corporation. Thiers, naguère grand pourfendeur de jésuites, se dit «prêt à donner tout l'enseignement primaire» au clergé et fulmine contre ces «37 000 socialistes et communistes, véritables anticurés»...
A partir de janvier 1850, tout instituteur est révocable sur simple notification du préfet. En quelques mois 4 000 d'entre eux sont ainsi congédiés.

Falloux et l'offensive congréganiste

Votée en mars 1850, dans ce climat de méfiance à l'égard des instituteurs laïcs, la loi Falloux vise à renforcer l'enseignement confessionnel. L'Eglise obtient à la fois davantage d'influence sur l'école publique et davantage de liberté pour ouvrir des écoles privées. De nombreuses dispenses du brevet sont prévues pour les instituteurs congréganistes et, pour les sœurs, une simple lettre d'obédience fournie par leur supérieure tient lieu de capacité. Les écoles normales, placées sous haute surveillance, sont sauvées de justesse. Par d'autres aspects, la loi prolonge l'œuvre antérieure. Les communes de plus de 800 habitants sont tenues d'ouvrir une école de filles. Le seuil est réduit à 500 pour les garçons. Un salaire minimal de 600 francs par an est garanti aux maîtres.

Si l'on s'en tient aux chiffres, la loi Falloux semble avoir atteint ses objectifs. De 1850 à 1865 (en gros, la période de l'Empire autoritaire), la part des congréganistes s'est déjà accrue de 15 à 21% chez les garçons et surtout, de 44,5 à 56% chez les filles. Par ailleurs ces dernières ont fortement rattrapé leur

L'instituteur recevant la férule (ci-dessus) ou bien suspendu... à «l'omnipotence» des préfets (à gauche) : deux caricatures inspirées par la loi de Parieu, votée quelques semaines avant la loi Falloux (en janvier 1850). La loi de Parieu plaçait les maîtres, initialement pour une durée de six mois, sous le contrôle direct des préfets, donc du pouvoir politique. Dans l'*Histoire de la France contemporaine*, Charles Seignobos observe, en 1921, que ce régime «devait paraître si commode à tous les gouvernements que, tous, l'ont conservé». Il ne sera modifié qu'en novembre 1944!

retard de scolarisation : en 1865, elles représentent enfin près de la moitié des 4,4 millions d'écoliers recensés.

La politique libérale de Victor Duruy

Les progrès rapides des congréganistes finissent par inquiéter le gouvernement impérial qui ne peut plus, d'ailleurs, compter sur le soutien inconditionnel de l'Eglise, hostile à sa politique italienne. Victor Duruy, ministre de 1863 à 1869, décide que les instituteurs laïcs ne pourront plus être remplacés par des congréganistes dans les écoles publiques. Sa loi de 1867 développe la gratuité de l'école primaire pour les pauvres et abaisse à 500 le nombre d'habitants par commune qui implique l'ouverture d'une école de filles. Elle introduit également l'histoire et la géographie parmi les disciplines obligatoires de l'enseignement élémentaire. Duruy encourage par ailleurs les cours pour adultes ainsi que la lecture publique par la création de bibliothèques dans les communes et les écoles.

Une coupure idéologique

Au delà de ses dispositions concrètes, la loi Falloux eut des effets psychologiques et politiques considérables. Votée par une majorité anti-républicaine, fermement appliquée par l'Empire autoritaire, elle a contribué à cristalliser l'antagonisme entre républicains laïcs et cléricaux ennemis de la République. L'intégrisme pontifical contribuait à élargir le fossé. En 1864, en effet, Pie IX, rejettant avec solennité les principes de 1789 et la philosophie des droits de l'homme, condamne l'idée d'une école soumise à l'autorité civile et affranchie de l'autorité de l'Eglise. En dépit des réticences d'une partie de l'opinion catholique en France, la doctrine

N FRANCE EN 1867

PAR

IANIER

UTEUR DE LA

ISTRUCTION PRIMAIRE EN FRANCE

l'Instruction publique, de celle de la Ville de Paris, etc.,

TAIRE et à L'EXPOSITION UNIVERSELLE DE 1867, à PARIS, approuvée par les Assoc

tion et Maîtres de Pension du département de la Seine, etc., etc.

officielle est dite. Voilà qui conforte les militants républicains dans leur conviction que le triomphe de leur cause passe par l'émancipation de l'Ecole. La Ligue de l'enseignement fondée par Jean Macé en 1866, contribue activement à diffuser ce message.

L'enjeu de la loi Falloux, vu par Bertall : l'école, tiraillée entre l'Etat et l'Eglise.

Ces deux cartes, réalisées en 1867, montrent l'opposition, persistante depuis l'Ancien Régime, entre une France du nord et de l'est, à la pointe de l'alphabétisation, et un vaste sud-ouest en retard. En 1826, la première carte du genre, celle du baron Dupin avait permis d'établir un lien entre la prospérité des régions et leur taux de scolarisation. La démarche de Joseph Manier, ancien instituteur révoqué pour ses opinions républicaines en 1850, est ici différente : il s'agit de plaider en faveur d'une grande politique d'instruction populaire, par la scolarisation des enfants et la généralisation des cours d'adultes. Jean Macé et sa Ligue de l'enseignement entreprennent alors le même combat.

« Je me suis fait un serment : entre toutes les nécessités du temps présent, entre tous les problèmes, j'en choisirai un auquel je consacrerai tout ce que j'ai d'intelligence, tout ce que j'ai d'âme, de cœur, de puissance physique et morale, c'est le problème de l'éducation du peuple. Avec l'inégalité d'éducation, je vous défie d'avoir jamais l'égalité des droits, non l'égalité théorique, mais l'égalité réelle. »

Jules Ferry,
député de Paris, avril 1870

CHAPITRE V
L'ÉCOLE DE LA RÉPUBLIQUE (1880-1918)

Une rangée d'élèves épanouis et studieux : nul mieux que Jean Geoffroy, «le peintre des humbles et des enfants» (1853-1924) n'a su magnifier l'école de la République. Ci-contre, un détail de *En classe, le travail des petits*, 1889. A gauche, Jules Ferry.

Quelle école pour la République ?

Proclamée en 1870, formellement instituée en 1875, la Troisième République n'est gouvernée par les républicains eux-mêmes qu'à partir de 1879, date à laquelle Jules Grévy s'installe à l'Elysée. Un train de lois, adopté en quelques années, garantit les libertés fondamentales d'opinion, d'expression, de réunion et d'association : la France fait l'apprentissage de la démocratie libérale. Les républicains ne conçoivent pas la citoyenneté nouvelle sans une refonte du système éducatif. A leurs yeux, la souveraineté populaire implique le développement rapide de l'instruction. A cette œuvre civique s'ajoutent des préoccupations patriotiques et d'utilité sociale. Les enseignements tirés de la débâcle de 1870 et les besoins nouveaux de l'économie contribuent à rendre l'éducation prioritaire.

Gratuite, obligatoire et laïque...

En une décennie (1879-1889) marquée par la forte personnalité de Jules Ferry, l'enseignement primaire est profondément remanié. Par la loi de juin 1881, la question de la gratuité des écoles primaires publiques, dont bénéficiaient déjà près de 60% des élèves, est définitivement réglée. Beaucoup plus mouvementés furent les débats préludant à l'instauration de l'obligation et de la laïcité ! Dans l'esprit des républicains les deux notions étaient liées. Le droit et même le devoir de s'instruire ne pouvaient être garantis que par l'obligation de recevoir une instruction élémentaire, où que ce fût : dans une école publique, privée ou à domicile. A l'école publique, celle du plus grand nombre, l'obligation

Originaire de Saint-Dié, avocat de formation, Jules Ferry (1832-1893) se fait connaître comme un opposant résolu au régime impérial. De la philosophie positiviste d'Auguste Comte, il tire les principes d'une république stable : la conciliation de l'ordre et du progrès, le rôle décisif de l'éducation, la laïcité de l'Etat. La venue au pouvoir des républicains en 1879 lui vaut le portefeuille de l'Instruction publique qu'il conserve quasi continûment

Pères d

pendant près de cinq ans. A ce poste, il n'a certes pas œuvré seul, ni créé *ex nihilo* l'école publique. Mais en faisant de l'école une priorité nationale et en l'investissant d'une grande mission civique, il a contribué à sa profonde rénovation. «Père fondateur» de l'école de la République mais aussi du nouvel empire colonial, Ferry, qui n'avait ni la chaleur et la verve d'un Gambetta, ni la causticité d'un Clemenceau, fut une des cibles favorites des caricaturistes, dont Gill, qui épingle (en haut à gauche) son style oratoire.

impliquait la neutralité confessionnelle; en d'autres termes la laïcité. En classe, la prière et le catéchisme seraient remplacés par la morale et l'instruction civique. Tels sont les principes qui reçoivent force de loi le 28 mars 1882.

Il était inévitable que l'Eglise et les milieux cléricaux réagissent avec virulence contre «l'école sans Dieu» : quelle valeur, quel sens même, pouvait avoir une morale dissociée de la religion révélée? Ferry objectait, en vain, qu'on enseignerait «la bonne vieille morale de nos pères, la vôtre, la nôtre, car nous n'en avons qu'une». Mais le nœud du conflit était ailleurs. L'école publique devait-elle continuer à former des chrétiens ou bien avoir pour objectif de faire accéder le plus grand nombre à l'autonomie critique? Ferdinand Buisson qui fut, à la direction de l'enseignement primaire, le bras droit de Ferry,

"Pères de famille, garde à vous! [...] Vous avez lu la grande affiche qui annonce le carnaval d'été organisé par le Denier des écoles laïques [...]. Ils avaient déjà l'instruction neutre, qui ne parle plus de religion ni de catéchisme [...]; on va inaugurer l'instruction carnavalesque [...]. Il est temps de résister; vous ne souffrirez pas que l'on s'attaque à l'âme pure de vos enfants dans une bacchanale officielle."

Affiche lilloise, 1883

déclarait en 1903 : «Pour faire un républicain il faut prendre l'être humain, si petit et si humble qu'il soit, [...] et lui donner l'idée qu'il faut penser par lui-même, qu'il ne doit ni foi ni obéissance à personne, que c'est à lui de chercher la vérité et non pas à la recevoir toute faite d'un maître, d'un directeur, d'un chef, quel qu'il soit, temporel ou spirituel.» Ecole de la foi et de la tradition ou école de la science et du libre examen reléguant les croyances dans la sphère privée : l'antagonisme était alors irréductible. Quel que fût le ton des polémiques, pouvait-on faire l'économie de ce débat de fond?

“Un soir d'hiver en 1880, l'instituteur [...] parla de mes possibilités, du métier d'institurice [...]. Il parla même de Fontenay d'où on sortait avec un traitement de 1 700 francs.(...) Pour moi, c'était un conte de fées.”

dans Jacques Ozouf, *Nous les maîtres d'école*, Julliard, 1967

Devenir instituteur

En ces temps héroïques de l'école républicaine, la formation des maîtres est un enjeu capital. Dès le 9 août 1879, à l'initiative du député Paul Bert, bientôt ministre, la loi fait obligation aux départements d'avoir une école normale de filles, comme de garçons. A cette date il n'existe que 22 écoles normales de filles; 62 sont alors ouvertes en dix ans. La création, en 1880, de l'Ecole normale supérieure primaire de Fontenay (filles) et, en 1882, de celle de Saint-Cloud (garçons), chargées de former les professeurs des écoles normales départementales, renforce la cohérence de l'institution.

Pour les normaliennes et les normaliens, ces bons élèves d'origine modeste et le plus souvent rurale, la République a fait construire,

"Bien que la pension fût gratuite à l'Ecole Normale, [...] nous aurions à verser, à la rentrée 265 francs pour l'uniforme, les livres, la masse. Mon père vendit une de ses vaches (190 francs, une laitière superbe) pour l'aider à payer cette grosse somme."

J. Ozouf, *op. cit.*

en ville, des bâtiments qui ont fière allure. L'internat y est de règle. A la dignité du cadre répond l'austère discipline de la vie collective. La tenue est sévère : uniforme de drap noir à palmes d'or pour les normaliens, que Péguy compare aux hussards de Saumur; robes noires boutonnées jusqu'au col et cheveux noués pour les filles. Les sorties sont rares, comme si rien ne devait détourner ces villageois de leurs futures affectations villageoises. La communauté tend à vivre repliée sur elle-même, dans un climat propice à l'étude et à l'imprégnation des valeurs républicaines. Propice également à la naissance d'amitiés durables, souvent précieuses pour affronter la solitude, une fois la promotion dispersée. L'expression de «séminaires laïques» qui fut aussitôt accolée aux écoles normales est assez juste; leurs directeurs ne la désavouaient pas. Il s'agissait bien, selon le vœu de Ferry, de «faire un corps enseignant» pénétré de sa mission. Ce vœu a été exaucé. Promus par l'école, les élèves-maîtres et maîtresses adhèrent aux valeurs qu'elle représente et en seront les inlassables propagandistes.

La fin des congréganistes?

La séparation de l'Eglise et de l'école publique impliquait, à terme, la laïcisation du personnel. La loi Goblet (1886) stipule qu'elle sera effective dans un délai de cinq ans pour les hommes et au fur et à mesure des vacances de poste pour les femmes. L'importance numérique des institutrices congréganistes justifiait cette différence de traitement. Leur remplacement par des laïques dûment brevetées n'était pas si aisé : en 1900, elles instruisent encore 13% des écolières du secteur public. En développant ses écoles privées, l'Eglise reconquiert une partie de son influence. Au Parti radical, la tendance majoritaire estime le moment venu d'y mettre un terme. Emile Combes, ancien séminariste, est l'homme de cette politique

«L'uniforme des normaliens de Mâcon comportait la redingote de fin drap noir à palmes d'or [...] que nous appelions la roupane ou la touine. [...] elle nous marquait, elle nous engageait, comme la tunique du fantassin, la soutane du séminariste; nous sentions que nous appartenions à un corps, à un ordre. La touine fut remplacée vers 1912 par le veston plus modeste.»

J. Ozouf, *op. cit.*

anticléricale. Président du Conseil en 1902-1905, il fait appliquer de la façon la plus restrictive une loi récente soumettant les congrégations à une autorisation législative. Puis, une série de nouveaux textes interdit d'enseignement tous les congréganistes. Ces mesures, préludant à la séparation des églises et de l'Etat (1905) provoquent une recrudescence de la guerilla scolaire, jusqu'en 1914. Quoique une partie des anciens congréganistes ait continué d'exercer sous l'habit laïc, l'enseignement confessionnel enregistre alors un recul, surtout chez les filles : les maîtresses laïques de l'école publique en accueillent désormais les trois quarts contre un bon tiers vers 1880.

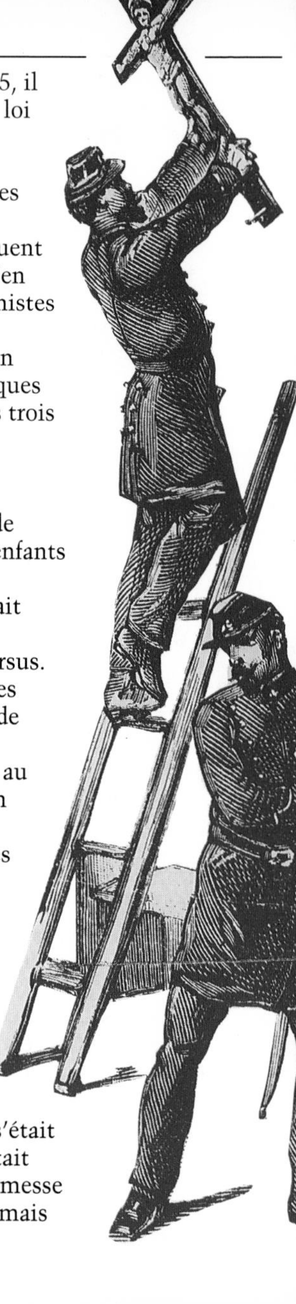

L'école pour tous : mission accomplie

De 1880 à 1900 l'école élémentaire gagne près de 700 000 élèves, atteignant la quasi-totalité des enfants scolarisables. D'autre part, sa fréquentation s'améliore sensiblement. En effet, une chose était d'être inscrit à l'école, une autre de s'y rendre assidûment et d'en suivre tout le cursus. On estime ainsi que, vers 1850, les classes perdaient en été le tiers de leurs effectifs de l'hiver. Cet absentéisme tend à se résorber au tournant du siècle. L'obligation légale n'était pas seule responsable de ce progrès qualitatif. L'enrichissement collectif non plus, car bien des familles pauvres avaient encore intérêt à ignorer la loi. Mais, dans toutes les couches de la société, le sentiment s'était répandu que l'école était non seulement la promesse d'un avenir meilleur mais aussi une affaire de dignité.

L'école en guerre contre l'alcoolisme. L'image aide à rendre sensible la déchéance morale et physique qui attend le pilier de bistrot : la perte de la dignité et la cirrhose, sans parler de la misère du foyer et des tares héréditaires…

Une pédagogie plus performante

Les progrès de la fréquentation scolaire permettent de généraliser des méthodes qui ont déjà fait leurs preuves dans les grandes agglomérations. En 1834, les statuts de Guizot, inspirés des Frères des écoles chrétiennes, préconisaient déjà une répartition des élèves en trois divisions, selon leur âge et leur niveau. Dans la plupart des campagnes cette organisation pédagogique était alors inapplicable. Dans les villes, en revanche, le système se développe et se perfectionne. En 1868, Octave Gréard impose aux écoles de l'académie de Paris une division en trois cours (élémentaire, moyen et supérieur), dotés chacun de programmes précis. En 1882, Ferry étend ce modèle au pays tout entier. Les écoles normales, les tournées d'inspection, les revues professionnelles et les conférences pédagogiques contribuent à sa diffusion.

Dans la pratique de la classe, deux innovations durables sont alors particulièrement à l'honneur. La leçon

Que faire des emblèmes religieux dans les écoles publiques ? La loi de 1882 implique leur suppression mais Ferry recommande aux préfets une attitude modérée. A Paris, ville radicale, le préfet Hérold les avait fait enlever, dès décembre 1880 (page de gauche).

REPUBLIQUE FRANÇAISE
5c
POSTES
GOUPILLÈRES (Eur
Ecoles et Mairie
ECOLES COMMUNALES
MAIRIE
Imp. A. Acard,

REPUBLIQUE FRANÇAISE
5c
POSTES
NEUBOURG
DAUBEUF-LA-CAMPAG
Mairie et Écoles

3 - Bohain — Ecole des Filles

La politique de Ferry entraîne un effort sans précédent, de l'Etat et des communes, en faveur des maisons d'école. Ce vaste chantier suscite une importante réflexion architecturale qui prend en compte les prescriptions récentes des hygiénistes. Il en résulte un modèle de bâtiment encore familier à nos yeux : un espace clos, à l'écart de la rue, avec sa cour, son préau, ses lieux d'aisance, le logement de l'instituteur et les salles de classe, bien éclairées et bien aérées, où s'ordonnent soigneusement les rangées de pupitres biplaces. Du groupe scolaire urbain à l'école de hameau, cette architecture répétitive présente bien des variantes. Toutes, certes, ne méritent pas le titre de «palais scolaire» dont les gratifiaient les détracteurs de Ferry! Néanmoins, au village, la nouvelle école, souvent associée à la mairie, a valeur de symbole. Avec son architecture urbaine, volontiers ostentatoire, elle est un monument à la gloire de la République et de la science.

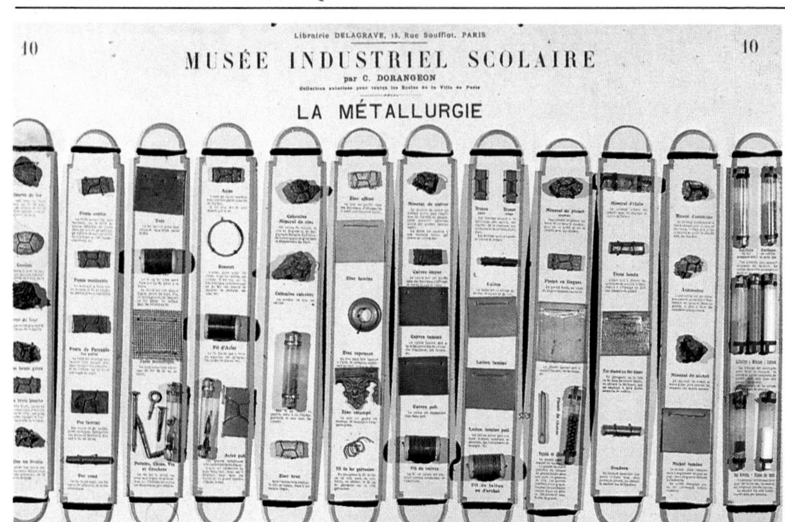

Collection d'objets divers, le «musée scolaire» est un auxiliaire précieux de l'enseignement «par l'aspect». Les éditeurs proposent du matériel spécifique, comme cet appareil cosmographique (à-gauche) ou le «musée industriel» (ci-dessus).

orale, faisant appel à la seule mémorisation, cède la place à une batterie d'exercices écrits. D'où l'importance de la bonne tenue du cahier journalier, auquel s'ajoutent bientôt le cahier de devoirs mensuels et le cahier de roulement, tenu à tour de rôle par les élèves. D'autre part, on préconise de recourir le plus possible à «l'enseignement par l'aspect», c'est-à-dire à la méthode inductive qui consiste à s'élever du concret (l'objet ou sa représentation) à l'abstrait. D'où la faveur du boulier et plus tard des bûchettes pour la numération, des ressources du «musée scolaire» pour la leçon de choses, ou encore des illustrations qui égayent les manuels scolaires et les murs des classes.

Les ambitions de la communale

L'école est obligatoire, en principe, de six à treize ans. La très grande majorité des élèves en restera là. Le maître dispose donc de peu de temps pour

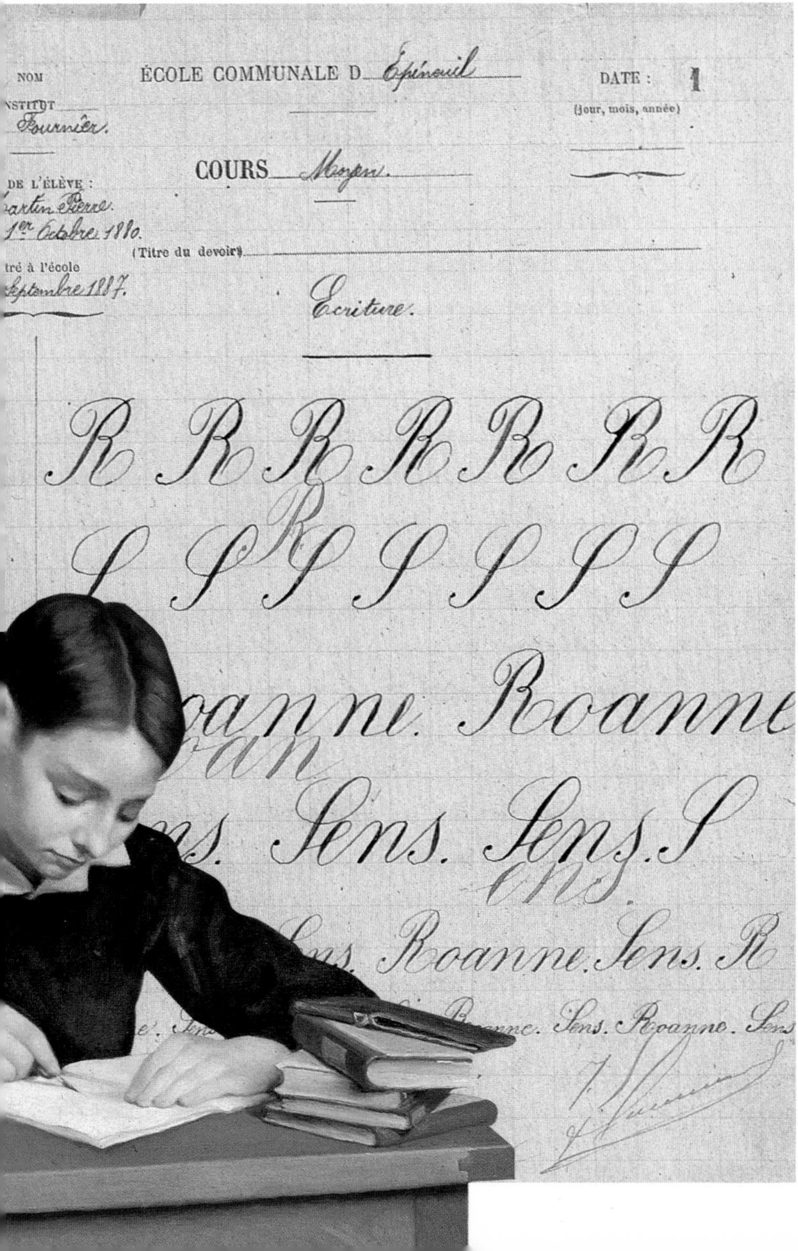

NOM

NSTITUT
Fournier.

DE L'ÉLÈVE :
artin Pierre
1er Octobre 1880.

tré à l'école
eptembre 1887.

ÉCOLE COMMUNALE D Épineuil

COURS Moyen.

DATE : 1
(jour, mois, année)

(Titre du devoir)

Écriture.

R R R R R R R

S S S S S S S

oanne. Roanne

ns. Sens. Sens. S

ns. Roanne. Sens. R

e. Sens. Roanne. Sens. Roanne. Sens

INSTRUCTION PUBLIQUE — ACADÉMIE DE LYON
RÉPUBLIQUE FRANÇAISE — DÉPARTEMENT DE LA LOIRE
Certificat d'Études
PRIMAIRES

transmettre ce viatique de connaissances et de valeurs que les autorités pédagogiques alourdissent périodiquement. Au lire-écrire-compter de jadis se sont ajoutés, chemin faisant, l'orthographe et la grammaire, au prix d'innombrables dictées suivies d'analyses logiques, les devoirs de rédaction, des problèmes d'arithmétique plus complexes, la géographie, l'histoire de France, la morale, l'instruction civique, sans oublier, suivant la lettre des programmes de1887, «les leçons de choses et les premières notions scientifiques, principalement dans leurs applications à l'agriculture; les éléments du dessin, du chant et du travail manuel», la gymnastique, les exercices militaires (bientôt supprimés) pour les garçons et les travaux d'aiguille pour les filles...

Le certificat d'études vient couronner les vainqueurs de ce parcours du combattant. Préconisé en vain par Guizot dès 1834, le certif' trouve sa forme définitive en 1880-1882. Ce n'est pas une simple attestation de fin d'études. C'est un examen délibérément sélectif, dont les épreuves sont empreintes d'une certaine solennité. Les taux de

"Chaque année [vers 1890], des élèves remportaient, à l'examen du certificat d'études, de brillants succès. [...] Quand les jeunes lauréats, heureux de leur succès, revenaient de Malicorne, dans la voiture d'un fermier [...] qu'ils décoraient au départ de lauriers cueillis dans la cour de la gare, tout le bourg était aux portes, les acclamant."

Mémoires d'Aimé Touchard, instituteur

réussite en sont encore mal connus. Dans le département le mieux étudié, celui de la Somme, un élève sur cinq quitte l'école avec son certificat en poche en 1882, un sur trois vers 1905 et un sur deux vers 1935. Le prestige populaire qui s'attache au diplôme de la communale ne tient pas seulement à sa

valeur sur le marché du travail; si l'on prend soin de l'encadrer et de l'exposer en bonne place, c'est aussi qu'il est reçu comme une distinction.

Le patriotisme ardent des républicains qui furent en 1870 l'âme de la Défense nationale, est à l'origine des bataillons scolaires, créés en 1882. Facultatifs, les bataillons exercent les garçons de douze ans et plus, équipés de fusils de bois, à «l'école du soldat». Lorsqu'ils défilent dans les villes républicaines, à l'occasion de la toute récente fête nationale du 14 juillet, ce n'est pas seulement «la revanche qui passe», c'est un spectacle civique, très applaudi. Cette vogue dura une dizaine d'années. La plupart des écoliers y échappèrent car elle était loin de faire l'unanimité, même chez les républicains.

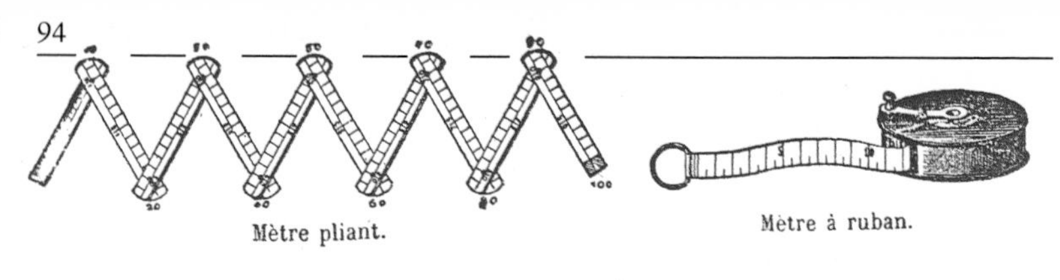

Mètre pliant. Mètre à ruban.

Décimètre (grandeur réelle).

Un discours rationaliste, patriotique...

L'urgence conduit le maître à faire flèche de tout bois. La dictée sera donc, à l'occasion, leçon de choses ou d'histoire, et la lecture toujours morale ou instructive. Mais cet encyclopédisme élémentaire a d'autres vertus; il suggère que la connaissance est parfaitement structurée. La leçon de choses est à cet égard exemplaire. Elle vise moins à transmettre des savoirs scientifiques qu'à diffuser une vision du monde dans laquelle tous les phénomènes sont régis par des lois connaissables.

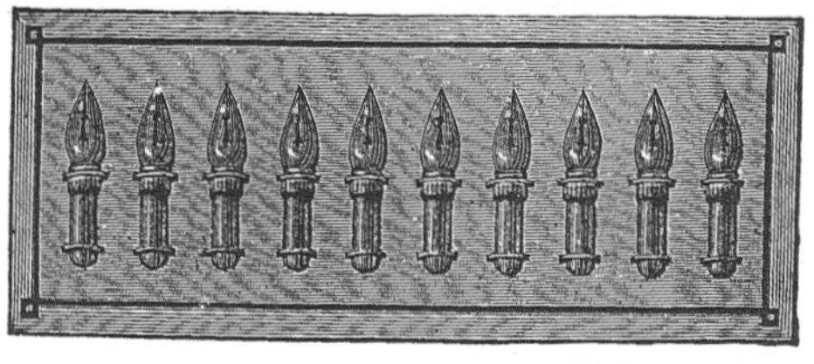

10 PLUMES. *10 plumes.*

Un autre aspect de l'école pour tous est de contribuer activement à renforcer l'unité nationale. C'est assurément l'une des fonctions officielles de l'enseignement de l'histoire, de la géographie et de l'instruction civique. Mais l'importance qu'on attache à l'apprentissage du système métrique est du même ordre. Surtout, l'école est un instrument efficace de l'unification linguistique. Depuis Guizot, au moins, c'est en français qu'il faut apprendre à lire! Fortoul, en 1853, prescrit que «le français sera seul en usage à l'école». A cette date, la langue nationale est ignorée dans le quart des communes de l'Empire... L'Etat républicain poursuit dans cette voie, avec les moyens que lui donne l'école obligatoire et centralisée. L'évolution naturelle, due au désenclavement des régions, lui facilite la tâche. Mais il y met un zèle particulier. Car le triomphe de la

Apprendre la «cursive», la «ronde» et la «bâtarde» suppose une discipline parfaite du geste et du maintien : «Les jambes placées verticalement. Le corps droit, sans raideur, ne touchant pas à la table. Tête un peu inclinée en avant. Bras gauche assez avancé sur la table. Cahier un peu incliné vers la gauche.» (Ferdinand Buisson, *Dictionnaire de pédagogie*, 1887.)

POIDS EN CUIVRE.

langue des lumières sur les idiomes et les patois lui paraît, sans l'ombre d'un doute, une œuvre d'émancipation.

... et moralisateur

On a souvent noté, enfin, l'omniprésence de la morale à l'école primaire. Elle en est, de fait, tout investie, depuis la maxime calligraphiée sur le tableau noir, que les élèves découvrent chaque matin, jusqu'aux moindres lectures et exercices. On ne s'étonnera pas que cette morale invite au respect de l'ordre établi... Pour autant, elle ne vise pas à l'obéissance passive. «La liberté, le devoir, la responsabilité, les devoirs envers soi-même, les devoirs envers nos semblables, l'humanité, la patrie, la famille : telles sont les principales idées que vous aurez à développer» dit-on aux futurs instituteurs. Pour les théoriciens de la laïcité, imprégnés des œuvres de Kant, liberté et devoir, c'est tout un. Le respect de la loi morale, cette victoire sur soi-même, est le fondement de la vraie liberté...

Au fil des ans, la qualité de sa formation tend à faire du maître d'école un professionnel reconnu : le magister d'autrefois, si souvent brocardé, est devenu «Monsieur l'instituteur». Mais la République est plus avare de ses deniers que de ses louanges ! Le salaire qu'elle lui verse est, en début de carrière, très inférieur à celui d'un ouvrier. Aucune amélioration n'intervient avant 1903-1905. Quant à l'égalité de traitement entre hommes et femmes, elle attendra 1919. S'il veut éviter la gêne, l'instituteur est bien inspiré d'épouser une collègue et de n'être pas trop chargé de famille !

Des salles d'asile aux écoles maternelles

Dès 1827, un philanthrope, Denys Cochin, inquiet des conséquences de l'oisiveté sur les jeunes enfants dont les mères travaillent dans les fabriques, fonde à Paris une «salle d'asile», bientôt imitée dans la plupart des grandes villes. Les enfants y reçoivent un enseignement, dont les ambitions s'accroissent rapidement. Sous l'influence de Marie Pape-Carpantier, directrice du «Cours normal des salles d'asile» de 1847 à 1874, s'élabore une pédagogie plus concrète, en partie inspirée des jardins d'enfants de l'Allemand Frœbel. En 1881, les salles d'asile, devenues «écoles maternelles», s'intègrent à l'enseignement primaire. L'importance qu'attache Pauline Kergomard, inspectrice générale de 1879 à 1917, aux exercices sensoriels et au jeu, comme à la création d'un mobilier plus adapté accentue l'originalité de la maternelle. Au point que l'ancienne garderie des enfants pauvres tend à devenir une formule très prisée. Vers 1914, elle accueille près d'un enfant sur quatre.

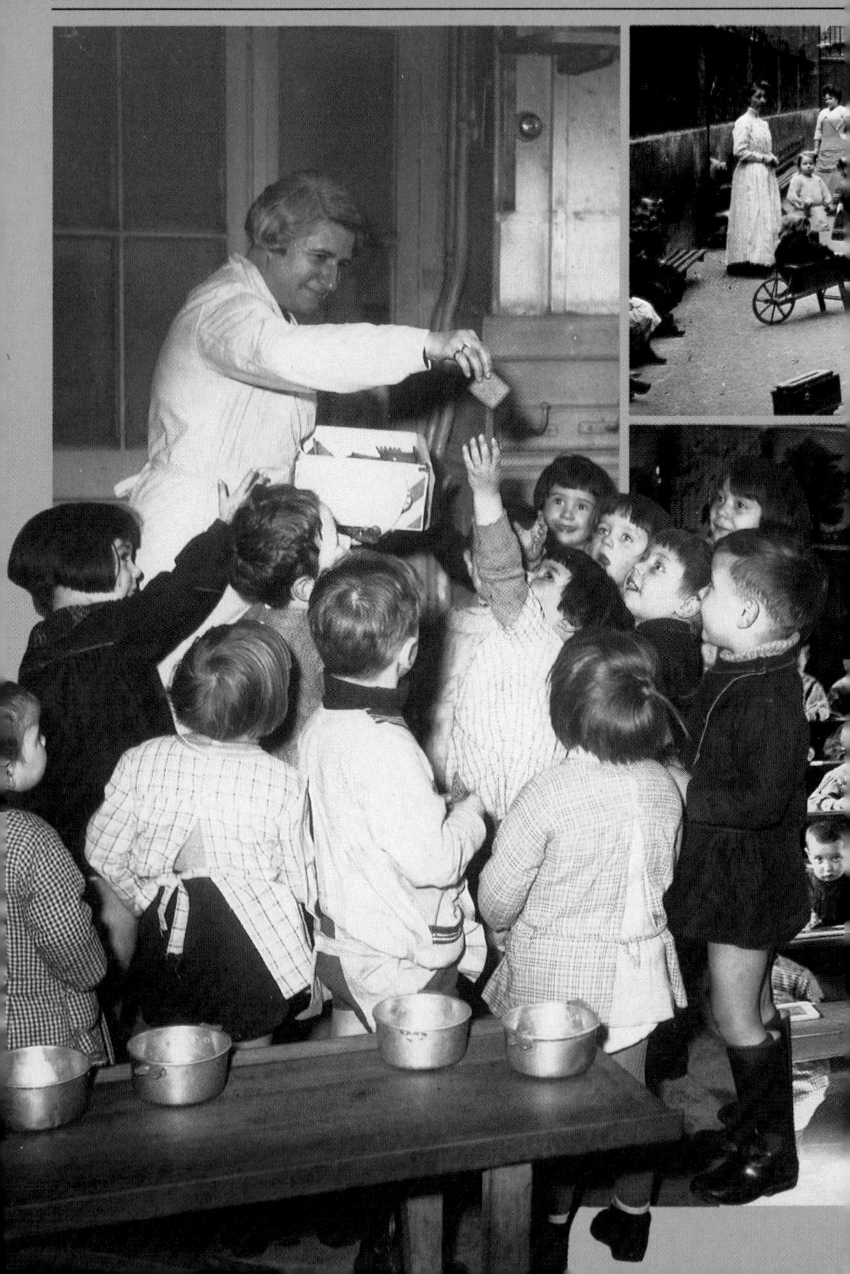

Lundi 12 juin 1899
di du da do dan
Denis a deviné la devise

Au-delà du certif' : les collèges du peuple

On attend également de l'école qu'elle remédie aux carences de la formation professionnelle. Pour stimuler les initiatives et servir de modèles, sont créées les Ecoles nationales professionnelles de Vierzon, Armentières, Dellys (Algérie) et Nantes. Toutefois, faute de crédits, le nombre des écoles d'apprentissage stagne. En revanche les Cours complémentaires et les Ecoles primaires supérieures, auxquelles on accède après le C.E.P., connaissent un réel essor. Les E.P.S. ont pour fonction «d'acheminer les élèves vers les professions auxquelles les prédestine le milieu natal», c'est-à-dire les emplois subalternes et moyens de l'industrie, du commerce et de l'administration. Celles où prédomine la formation générale préparent notamment au brevet élémentaire. Les autres deviennent, en 1892, Ecoles pratiques de commerce et d'industrie. L'enseignement primaire supérieur tend ainsi à donner naissance à deux filières courtes, l'une générale, l'autre proprement technique et professionnelle. La première compte environ 100 000 élèves en 1914, la seconde près de 20 000. C'est une progression sensible, mais, pour le plus grand nombre, le métier s'apprend toujours sur le tas.

« Ce qui s'appelle véritablement le métier, la profession, avec ses secrets, ses difficultés, pas un des apprentis ne la sait, pas un ne l'a apprise, parce que tantôt on n'a pas pu, tantôt on n'a pas voulu la lui montrer. Eh bien, l'école d'apprentissage permettra [...] de mettre un enfant, au bout de trois années [...], en état de gagner sa vie, non seulement dans sa profession mais dans plusieurs autres. » (discours, optimiste, du sénateur Tolain, ancien ouvrier, lors de la discussion de la loi créant, en 1880, les écoles manuelles d'apprentissage.)
Ci-dessus, une école de ce type, à Bordeaux, vers 1900.

Le bastion des humanités

Après avoir triplé de 1810 à 1880, les effectifs des lycées et collèges (environ 5% d'une classe d'âge) connaissent ensuite une remarquable stagnation. Une barrière sociale efficace sépare toujours l'enseignement primaire, même «supérieur», du secondaire, dont les élèves ont reçu une première instruction non pas à la communale mais dans leur famille ou dans des «petites classes» payantes. Les familles modestes hésitent en effet à engager leurs fils dans des études longues, coûteuses et dont le débouché professionnel reste, pour elles, incertain. La réussite d'une poignée de boursiers (1 élu pour 200 écoliers !) n'y change rien. Le privilège quasi exclusif accordé à la culture classique, alors largement répandue dans les classes aisées, constitue un frein supplémentaire.

Or, le corps enseignant secondaire contribue, avec succès, à la défense des humanités classiques. Les formes et les contenus, certes, évoluent. Les exercices traditionnels de composition latine ou de vers latins sont en recul. L'accent se déplace du discours à l'analyse : on entre dans l'ère de la dissertation. Mais la part des langues anciennes reste prépondérante. Au point que l'enseignement secondaire spécial créé par Duruy (sans latin et, initialement, sans accès au baccalauréat) fait figure de paria. A l'encontre du projet initial, il tend d'ailleurs à s'aligner, par retouches successives, sur le cursus des établissements

"Malgré sa mauvaise santé [...], Marcel Proust fit des études normales, et même excellentes, au lycée Condorcet, où les lettres étaient en honneur, non point à la manière érudite et classique de Louis-le-Grand ou de Henri-IV, mais de manière moderne, précieuse et décadente."

André Maurois, *A la recherche de Marcel Proust* 1949

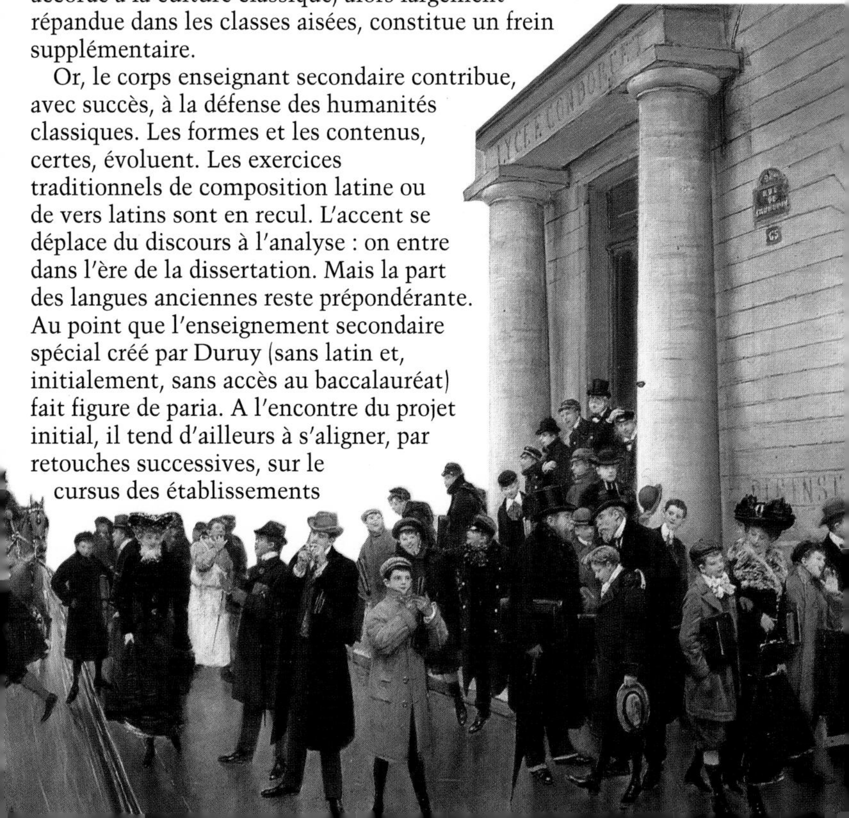

L'enseignement comprendra les matièr

1° Langue et Littérature françaises, Littératures anciennes ;
2° Langues vivantes (anglais et allemand) ;
3° Histoire générale et nationale, Géographie ;
4° Morale ;
5° Notions de Droit usuel, Économie domestique ;
6° Mathématiques ;
7° Sciences physiques et naturelles ;
8° Dessin et Écriture ;
9° Musique ;
10° Gymnastique ;
11° Travaux à l'aiguille.

classiques. La réforme de 1902 parachève l'intégration en introduisant une filière sans latin dans les deux cycles de l'enseignement secondaire. Mais par ce biais était créé, pour la première fois, un baccalauréat moderne (langues-sciences). Une première brèche s'ouvrait dans le bastion des humanités...

Une figure nouvelle : la lycéenne

L'enseignement secondaire féminin franchit un cap décisif avec la création, en 1880, des lycées de jeunes filles, sur proposition de Camille Sée. Au milieu des tempêtes soulevées par son initiative, l'auteur de la loi s'est voulu rassurant : «Les écoles que nous voulons fonder ont pour but non d'arracher [les femmes] à leur vocation naturelle, mais de les rendre plus capables de remplir les devoirs d'épouse, de mère et de maîtresse de maison.» Le lycée de filles ne saurait être d'emblée l'égal de celui des garçons : on n'y enseigne pas de latin et peu de sciences ; c'est en quelque sorte une filière «moderne», privilégiant la littérature (classique), les langues vivantes et l'histoire, sans oublier les arts d'agrément et les disciplines ménagères. Le cursus, de cinq années au lieu de sept, est sanctionné par un diplôme qui, n'étant pas le baccalauréat, ne donne accès à aucune faculté.

Après avoir rencontré des réticences chez les notables, les lycées de filles obtiennent un réel succès

“Ignorantes du devoir, mais très fortes sur ce qu'elles appelleront leurs droits, les futures doctoresses et les avocates de l'avenir verront leurs rêves dissipés bien vite par les réalités de la vie. La haine de ces bas-rouges sera d'autant plus féroce que leurs appétits seront plus vastes.”

dans *L'Univers*, journal clérical, 1880

vantes : (35 000 élèves en 1914). La qualité de leur enseignement, dispensé par un corps de «professeurs-femmes», en principe issu de l'Ecole normale supérieure de

Sèvres (1881), est reconnu. Leur recrutement s'élargit et se diversifie. Les élèves originaires des classes moyennes y introduisent la préoccupation d'acquérir des diplômes utiles. Depuis le Second Empire, les aspirantes au brevet supérieur s'étaient multipliées. Quelques pionnières, à la suite de Julie Daubié (reçue en 1861) obtenaient même le baccalauréat comme candidates libres et poursuivaient des études en faculté. Sous la pression de cette demande, l'enseignement des langues anciennes et la préparation du baccalauréat obtiennent droit de cité. Les derniers obstacles à une parité avec les établissements masculins seront levés en 1924-1925. Dès avant 1914 néanmoins, le député catholique

Quoique marginaux dans le cursus des lycées de filles, les cours de sciences obtinrent un réel succès... auprès des photographes. Les demoiselles du lycée Racine, observant le fonctionnement d'une machine pneumatique (ci-dessus), formaient encore, en 1900, un tableau pittoresque...

Albert de Mun constate, avec une pointe d'amertume : «Nous avons laissé, presque sans nous en apercevoir, se transformer sous nos yeux l'éducation de la bourgeoisie féminine.»

"Sur mes seize ans, je passai, à la diable, un affreux petit examen nommé baccalauréat. Il nous fallait deux jours pour montrer nos connaissances. Le premier jour nous en faisions la preuve écrite, le second jour, la preuve orale. Le matin de ce second jour, ma chère Maman me donna une pièce de cent sous pour déjeuner place de la Sorbonne et me trouver tout de suite à même de répondre à l'appel. Je gardai la pièce de cent sous, achetai un petit pain de gruau et l'allai manger sur les tours de Notre-Dame. Là, je régnai sur Paris. [...] Je ne sais à quoi je songeai, mais quand j'arrivai dans la vieille Sorbonne, mon tour était passé. De mémoire d'appariteur, rien de pareil ne s'était encore vu. Je m'accusai, on ne me crut pas. La vérité parut invraisemblable, et l'on m'inscrivit en queue de liste. Les examinateurs étaient fatigués et maussades. A cela près, tout se passa bien."

Anatole France,
La Vie en fleurs,
1922

La renaissance des universités

Avec la création des bourses de licence (1877), puis d'agrégation (1880) apparaît l'étudiant moderne, astreint à un cursus précis. En effet, à côté des cours publics se développent des cours réservés aux étudiants, et des conférences de licence et d'agrégation, pour lesquelles sont créés des «maîtres

de conférence». Les diplômes, longtemps indistincts, se spécialisent. En sciences puis en lettres, l'éventail des licences s'élargit. Le diplôme d'études supérieures (1886) est, depuis 1894, nécessaire pour présenter l'agrégation. Du baccalauréat à l'agrégation, en passant par la licence et le D.E.S., un cursus cohérent s'est instauré. Un essor sans précédent du nombre des étudiants accompagne cette évolution. De 10 000 étudiants, en 1875, on est passé, en 1914, à 42 000, dont plus de 30% en sciences et lettres contre 15% précédemment. L'accroissement des effectifs s'accompagne d'une refonte du statut juridique des facultés, à laquelle est attaché le nom de Louis Liard, directeur de l'enseignement supérieur de 1884 à 1902 puis vice-recteur de Paris. Liard entend favoriser la constitution, en province, de grands pôles universitaires, susceptibles de contrebalancer l'influence de la capitale. Mais, sous la pression des intérêts locaux, la loi du 10 juillet 1896 crée en définitive une université dans chaque académie. La solution «égalitaire» l'emportait. En émiettant ce qui aurait pu devenir les grands pôles régionaux, elle alourdissait la prépondérance de Paris dont l'université, vers 1900, attire près de 45% des étudiants français !

Pour faire face à l'afflux des étudiants, la Sorbonne fait peau neuve en 1889 (ci-dessus, rue des Écoles). Fresques et peintures soulignent la continuité de ses enseignements prestigieux : ci-dessous, un cours du grand chimiste Sainte-Claire-Deville (mort en 1881). D'autres palais universitaires surgissent alors à Lyon, Grenoble, Bordeaux ou Lille.

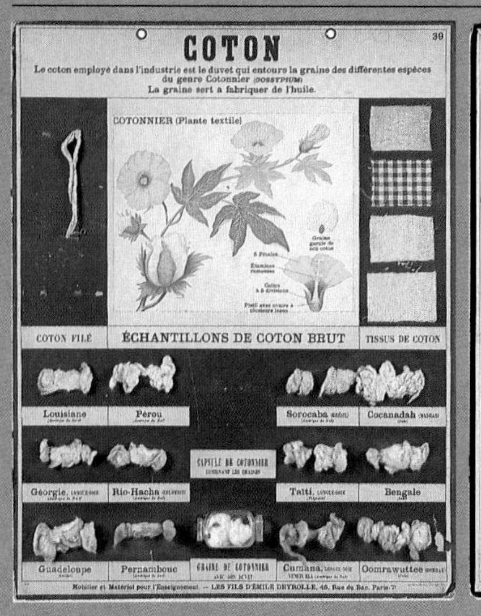
39
COTON
Le coton employé dans l'industrie est le duvet qui entoure la graine des différentes espèces du genre Cotonnier (GOSSYPIUM)
La graine sert a fabriquer de l'huile.
COTONNIER (Plante textile)
COTON FILÉ
ÉCHANTILLONS DE COTON BRUT
TISSUS DE COTON
Louisiane
Pérou
Sorocaba
Cocanadah
CAPSULE DE COTONNIER CONTENANT LES GRAINES
Géorgie
Rio-Hacha
Taïti
Bengale
Guadeloupe
Pernambouc
GRAINE DE COTONNIER
Cumana
Oomrawuttee
Mobilier et Matériel pour l'Enseignement. — LES FILS D'ÉMILE DEYROLLE, 46, Rue du Bac, Paris-7e

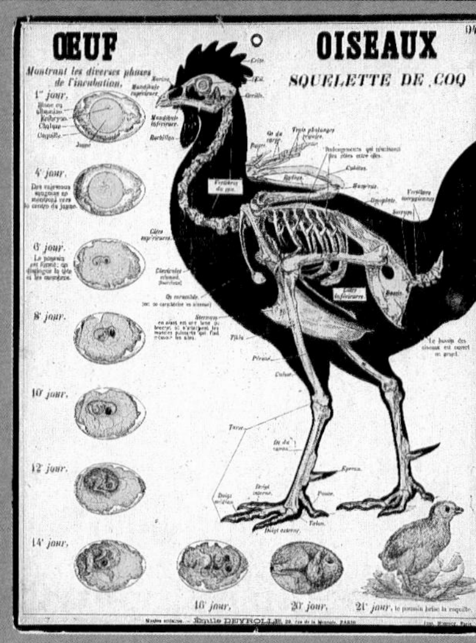
ŒUF
OISEAUX
94
SQUELETTE DE COQ
Montrant les diverses phases de l'incubation.
1er jour.
4e jour.
6e jour.
8e jour.
10e jour.
12e jour.
14e jour.
16e jour.
20e jour.
21e jour, le poussin brise la coquille.
Émile DEYROLLE

CRAYONS FINS
CONTÉ A PARIS
No 1375 * CON
A. LAROESSE
Plumier Scolaire

Les outils de l'écolier

“Il y eut un dîner, le soir, chez ma tante Rose. Elle me fit d'abord présent d'un plumier en carton verni [...]. En appuyant sur un bouton, le couvercle s'ouvrait tout seul : je découvris alors trois porte-plume neufs, des plumes de toutes les formes (il y en avait une à bec de canard), plusieurs crayons de couleur, et surtout une gomme à effacer si tendre et si onctueuse que je mourais d'envie de la manger tout de suite. L'oncle m'offrit à son tour une boîte de compas, qui avait coûté 2,95 F.”

Marcel Pagnol, *Le Temps des secrets*, 1960

CATÉCHISME

DE

Ste-ROSALIE

ASSISTANCE A LA MESSE

1 Bon Point

60me LEÇON

c = s devant e, é, i, y

c = s

ce, ci, cé, cy, cin, ceur

ce, cez, cen, ceau, cien

balance

ce

ce

Balance, limace, ceci, cela, France, cèdre, pouce, grimace, céleri, facile, merci, racine, avancez, médecin, cendre, farceur, douceur, berceau, ceinture, Lucien.

Cyril a cloué la glace à sa place.

ç = s devant a, o, u.

ça, ço, çu, çon, çai

ço, ça, çon, çoi, çoir

APPLICATIONS

Façade, reçu, leçon, maçon, limaçon, façon, caleçon, garçon, menaçai, suçoir, balançoire.

Le maçon a réparé la façade.

sc = s — scié, scène, science, sceau.

Le garçon a scié la racine.

61me LEÇON

g = j devant e, é, i, y.

g = j

ge, gi, gé, gy, geur

ger, gen, gien, gir, gin

singe

ge *ge*

*ge = j devant a, o.

cage, sage, neige, orange, nager, agir, rougir, manger, rougeur, nageur, bergère.

geo, gea, geon, geai, Geor

rougeole, pigeon, nageoire, je nageai, il mangea, geai.

Eugène a mangé une orange.

ti = si

tion, tien (ss), tie, tial

tion, tieu, tior, tiel

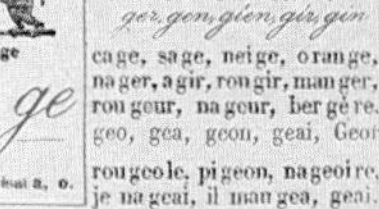

addition

tion

punition, nation, répétition, décoration, soustraction, précaution, explication, station, portion, action.

patience, Gratien, satiété, calvitie, gentiane, balbutier.

Martial a écouté l'explication.

RÉPUBLIQUE FRANÇAISE
FÊTE DES ÉCOLES
SOUVENIR DU 14 JUILLET 1899
EUREKA
144 PLUMES TANTALE
BAIGNOL & FARJON
298
PLUME TANTALE
N° 298
BON POINT

LYCÉE
CARNOT
145

Le XIXe siècle a été le siècle de l'école élémentaire pour tous ; le XXe sera celui du collège – voire du lycée – pour tous. Après une lente maturation, cette évolution s'est accomplie à marche accélérée à partir des années soixante. Chemin faisant, l'idée initiale de recruter les élites sur une base élargie a laissé place à l'ambition de rendre, par l'école, la société plus égalitaire.

CHAPITRE VI
LA MÊME ÉCOLE POUR TOUS ?

Page de gauche : la porte… étroite du lycée Carnot, avant guerre. En 1930, l'ensemble des lycées et collèges accueille moins de 200 000 jeunes gens. Ci-contre, une image de la Communale dans les années 1960 : la plupart de ces élèves iront au collège.

Séance d'atelier pour les garçons d'une école technique en Bretagne; cours de dactylographie pour les filles de l'E.P.S. de Tours, vers 1930 (à droite) : les «collèges du peuple» connaissent alors un essor qui s'accélère rapidement après 1945.

Une idée neuve : l'école unique

En 1918, un groupe d'universitaires récemment démobilisés, les Compagnons de l'Université nouvelle, lancent le thème de «l'école unique». Le projet vise à regrouper, jusqu'à 14 ans, dans les mêmes établissements, les élèves de la communale et ceux des petites classes des lycées, alors réservées à l'enfance bourgeoise. De la sorte, l'orientation s'effectuerait sur la base des seuls résultats scolaires. «L'école unique – affirment-ils – [...] est l'enseignement démocratique et elle est la sélection par le mérite.» Elle suscite pourtant de nombreuses divisions, dont celle qui traverse le monde enseignant n'est pas la moindre. Pour les instituteurs, en effet, l'école unique relèverait a priori de leur compétence exclusive. En revanche, les professeurs, majoritairement opposés à tout raccourcissement des études classiques, sont hostiles à l'idée de ne recevoir les élèves qu'à partir de 14 ans. La solution intermédiaire d'une école moyenne, regroupant les

premiers cycles des lycées, et les enseignements primaires supérieurs, préconisée par Paul Lapie, directeur de l'enseignement primaire jusqu'en 1925, ne fait pas davantage l'unanimité. Tous ces clivages expliquent la lenteur des évolutions.

Continuité de l'enseignement primaire

La pédagogie officielle reste peu perméable aux courants nouveaux. Tout en valorisant les «qualités d'intuition», elle prône un «appel constant à l'effort de l'élève». La plupart des maîtres laissent aux spécialistes l'étude des doctrines psycho-pédagogiques et ne s'informent guère des travaux d'un Piaget sur la psychologie de l'enfant. Dès lors, les méthodes actives sortent

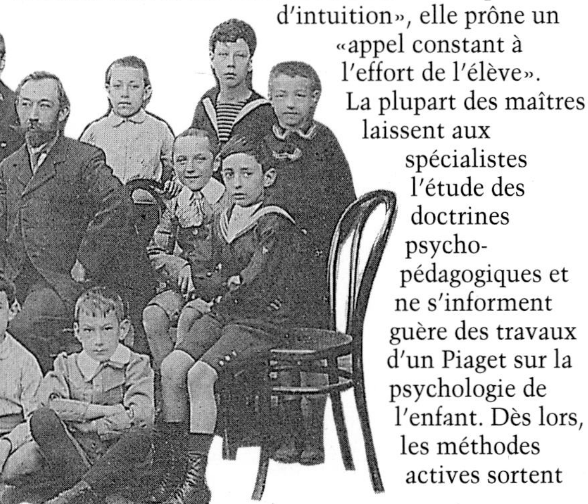

Au-centre, une classe de 8e au lycée de Beauvais en 1913. Uniformes et costumes marins soulignent le caractère distinctif du «petit lycée», dont les classes (de la 11e à la 7e) restent payantes alors même que la gratuité s'étend aux études secondaires et dont les maîtres, jusqu'en 1927, sont munis d'un diplôme spécial. La faveur des familles bourgeoises assure à ces «petites classes» une longue survie en dépit de leur suppression officielle en 1945 : les dernières fermeront leurs portes dans les années soixante.

peu des cénacles où elles sont l'objet de débats théoriques, tel le Groupe français d'éducation nouvelle, fondé en 1921. L'institution tend d'ailleurs à marginaliser les initiatives individuelles, comme celles de Célestin Freinet qui, souhaitant rendre l'élève plus actif et l'école plus ouverte sur son environnement naturel et social, est contraint, en 1935, d'ouvrir sa propre école.

L'ambition encyclopédique de la Communale laisse peu de marge de manœuvre aux maîtres : elle impose un horaire très lourd, dont les instructions ministérielles précisent le détail. Les «activités dirigées», plus autonomes, font une apparition, timide, dans les classes de fin d'études, nées de la prolongation à quatorze ans de l'obligation scolaire en 1936. L'«étude du milieu» et la «classe-promenade» attendront 1945. Quant aux devoirs à la maison, vainement supprimés en 1956, ils ont encore de beaux jours devant eux, tant leur appoint est nécessaire pour faire face à la charge des programmes...

Célestin Freinet (1896-1966), parmi ses élèves, à Saint-Paul-de-Vence, vers 1930. Au centre du groupe, le matériel de l'imprimerie à l'école, emblématique d'une démarche qui attache une valeur primordiale à la libre expression des enfants. Vers 1960, le mouvement Freinet revendique environ 10 % des maîtres de l'école publique. Ci-dessous, souvenir d'une classe- promenade.

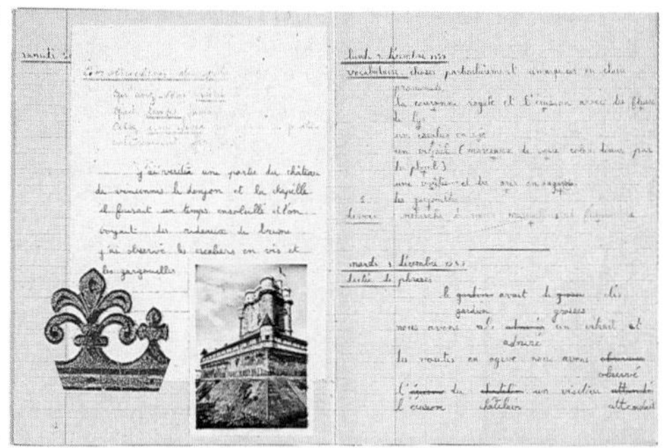

La scolarisation de l'apprentissage

Les écoles techniques, en dépit de leur succès, étaient loin de répondre aux besoins d'ouvriers qualifiés. Elles formaient avant tout des agents de maîtrise, des chefs d'atelier. La loi Astier (1919) s'efforce de pallier cette carence en créant, pour les apprentis formés dans les entreprises, des cours professionnels, gratuits et obligatoires, préparant en trois ans au C.A.P. (institué en 1911). En dépit de l'instauration de la

A l'école échoit également le rôle de certifier les formations manuelles. Le C.A.P., en plein essor après 1945, est un passeport pour l'entreprise, surtout artisanale. Ci-contre, une épreuve de maçonnerie, vers 1950. Ci-dessous, un travail de couvreur dans un C.E.T. (collège d'enseignement technique, héritier, en 1959, des centres d'apprentissage et ancêtre de l'actuel lycée professionnel) à Vincennes, vers 1965.

taxe d'apprentissage en 1925, la formule n'obtint pas la réussite escomptée. La charge des cours reposait sur les communes; beaucoup d'entre elles s'en dispensèrent. Les entreprises, pour leur part, rechignaient à s'investir. En définitive ce fut la guerre qui débloqua la situation. La pénurie d'ouvriers qualifiés pour les usines d'armement amena le gouvernement à créer à la hâte des Centres de formation professionnelle (1939). Devenus Centres d'apprentissage, ils comptent 260000 élèves en 1958. A partir de 1945, 4 Ecoles normales nationales d'apprentissage, forment leur personnel enseignant. Contrairement au dispositif mixte prévu par la loi Astier, l'école a ainsi hérité de l'apprentissage.

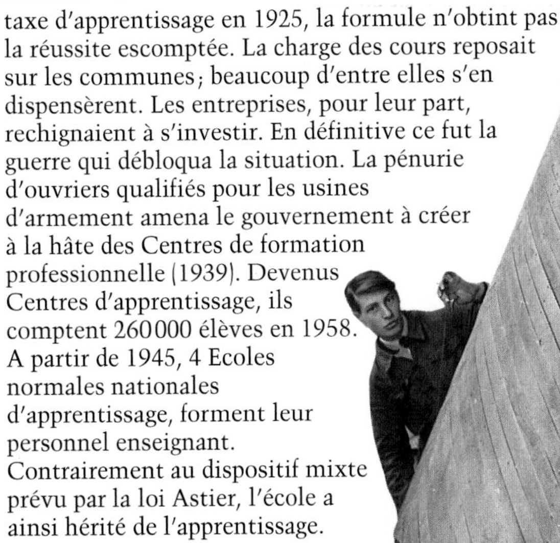

Le décloisonnement de l'enseignement secondaire

Que la scolarité secondaire fût distincte pour les filles et les garçons et par ailleurs payante, cette double discrimination était de plus en plus mal ressentie. En 1925, le cursus des lycées de filles s'aligne sur celui des garçons et débouche enfin sur le bac : pour les «demoiselles rangées», la course aux diplômes est ouverte. D'autre part, à l'initiative du ministre radical Edouard Herriot, la gratuité est instaurée, en cinq ans, à partir de 1928. En 1937, Jean Zay, ministre du Front populaire, uniformise les programmes du premier cycle des lycées et ceux des E.P.S. C'est un premier pas sur la voie d'une école moyenne. Une nouvelle étape est franchie par Jérôme Carcopino, ministre de Vichy, qui transforme les E.P.S. en collèges modernes (enseignement général sans latin) et les écoles pratiques en collèges techniques. Cette mesure, initialement destinée à restaurer la toute puissance des humanités dans les lycées classiques où le latin redevenait obligatoire, eut pour effet de faciliter l'accès au baccalauréat pour les élèves d'E.P.S. En effet, peu après, était créée une nouvelle classe terminale (future série D) adaptée à leur profil.

Après la Libération, le Plan élaboré par la commission Langevin-Wallon relance le thème de l'école unique, en proposant de nouveaux développements : obligation portée à 18 ans, découpages en trois cycles, dont le second (11-15 ans) serait un cycle d'orientation. Mais la permanence des clivages antérieurs, jointe à l'instabilité gouvernementale, interdit toute réforme significative de 1945 à 1958.

Une réforme décisive : le collège pour tous

Dès les débuts de la Ve République, la réforme des structures connaît une accélération décisive. L'extension du secondaire, liée à une orientation sélective des élèves en fonction de leurs aptitudes, paraît au général de Gaulle la réponse adéquate aux défis de la croissance économique. En quelques années s'instaure ainsi une «école moyenne», à laquelle tous les élèves accèdent à l'issue du primaire.

Un lycée neuf, à Reims, vers 1960 ci-dessous : de nouveaux locaux pour un nouveau public. Trente ans plus tard, le lycée est devenu le prolongement naturel du collège pour tous.

En 1959, la scolarité obligatoire est portée à 16 ans. En 1963, la réforme Fouchet crée les C.E.S. (collèges d'enseignement secondaire), destinés à regrouper l'ensemble des formations post-élémentaires, dans la tranche d'âge 11-15 ans. Les anciens Cours complémentaires, devenus C.E.G. (collèges d'enseignement général) en 1959, ne subsistent qu'à titre provisoire. Parallèlement se met en place le système de la carte scolaire dirigeant les élèves vers l'établissement le plus proche de leur domicile. La loi Haby (1975) parachève la nouvelle structure : C.E.S. et C.E.G. fusionnent et toute distinction de filières en 6ème et en 5ème est abolie. Le collège, ainsi unifié, donne aujourd'hui accès à trois types de lycées : les lycées classiques et modernes conduisant aux bacs A, B, C, D et E;

L'hétérogénéité accrue des classes ne simplifie pas le métier du professeur. Plus que jamais, le savoir, qui est sa raison d'être, doit se doubler d'un savoir-faire...

PROLETAIRES
UNISSEZ-VOU
LA LUTTE
CONTINUE
NOUS
NOUS
Tribune socialiste

Léniniste, maoïste ou libertaire, le discours profus de la révolte étudiante de mai 1968 dresse un réquisitoire sans appel contre l'état bourgeois et son école. Au refus de toutes les formes instituées de l'autorité, dont celle des enseignants, se mêle dans cette génération charnière qui participe au mouvement, un rejet des contraintes qui pèsent sur l'individu. Le pouvoir, déconcerté, réprime. La vieille université sombre dans la vague... La loi Edgard Faure la rénove en profondeur, une fois la fièvre retombée, en y introduisant pour la première fois une réelle autonomie.

les lycées techniques – issus des anciens collèges techniques en 1959 et dotés, en 1965, d'un bac spécifique correspondant aux séries F, G et H – et les lycées professionnels qui ont pris la relève des anciens centres d'apprentissage en 1975 et donnent accès à un bac professionnel depuis 1985.

La rénovation de l'enseignement primaire

Avec le collège pour tous, l'école primaire se cantonne désormais à la tranche d'âge 6/11 ans, répartie du cours préparatoire au CM2. Parallèlement, l'urbanisation rapide provoque la fermeture de nombreuses écoles rurales. Les regroupements qui s'opèrent à cette occasion favorisent l'extension de la mixité, qui ne rencontre plus guère de réticences dans les familles. En ville, pour accueillir les enfants de l'exode rural et du baby-boom, on construit de grands groupes scolaires, dans lesquels chaque classe correspond à un seul niveau, à la différence des anciennes classes rurales à plusieurs divisions.

L'école primaire n'étant plus pour personne le terme des études, la pression qui s'exerçait sur elle tend à se relâcher. D'autant que l'évolution générale des mœurs favorise une pédagogie moins rigide. Les «méthodes actives» sont désormais à l'honneur. Les instructions de 1969, qui recommandent de «dépasser la notion contraignante de programme» consacrent cette évolution. L'horaire hebdomadaire, ramené de

Grand classique des cours préparatoires de l'après-guerre, la méthode de lecture Boscher (ci-dessus) a été peu à peu reléguée par la prise en compte des méthodes globales. Toujours éditée, elle poursuit, dans les familles, une seconde carrière.

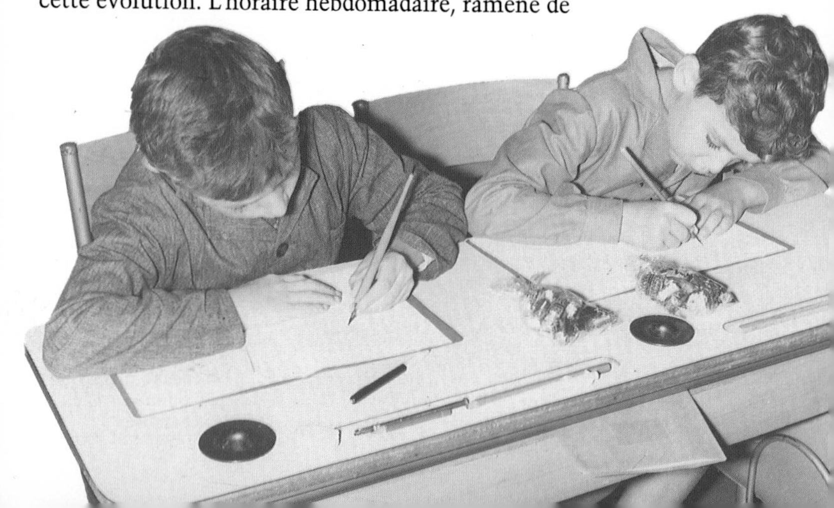

Années soixante-dix : l'école d'autrefois a vécu. La Communale prépare ses élèves à une scolarité qui dépassera, pour la plupart, l'obligation légale fixée à seize ans. Ci-contre, la rénovation pédagogique à l'œuvre, sous la forme d'un exercice d'initiation à la théorie des ensembles. Mais l'insuffisante formation des maîtres et l'incompréhension des familles auront raison des ambitions initiales de cette réforme des mathématiques.

30 à 27 heures, est découpé en trois parties inégales entre les matières de base (français et mathématiques), l'éducation physique et les autres matières regroupées sous le nom de disciplines d'éveil. L'apprentissage des matières de base est ensuite rénové, avec l'introduction des mathématiques modernes (1970) et la réforme de l'enseignement du français (1972), revalorisant l'oral et l'expression libre. Trop radicales, sans doute, ces innovations suscitèrent dans l'opinion bien des réticences et chez les instituteurs des réactions très diverses, depuis l'enthousiasme militant jusqu'à l'indifférence délibérée. En 1985, de nouvelles instructions, prises sous l'autorité de Jean-Pierre Chevènement, réhabilitaient la notion de programme, mettant un terme aux controverses sur la pratique des disciplines d'éveil. Spontanément, il est vrai, la plupart des maîtres avaient opéré une synthèse entre les nouvelles directives et les pratiques antérieures, laissant de côté les innovations les plus téméraires.

L'école maternelle plébiscitée

En croissance rapide depuis 1945, l'école maternelle accueille aujourd'hui près de 100% des enfants de 3 ans... Un véritable plébiscite, d'autant que cette école

Une classe en Eure-et-Loir, au début des années soixante (page de gauche). Le lourd pupitre d'antan a cédé la place à un mobilier plus maniable et la blouse a remplacé le sarrau. Pourtant, l'ordonnancement de la classe, la plume et l'encrier, et le soin religieux apporté à la tenue du cahier journalier sous la dictée du maître, montrent que l'école de Ferry n'est pas si loin. Une nouveauté cependant : la mixité, qui commence alors à se généraliser.

L'heure du conte dans une école maternelle, vers 1960. Tout en s'adressant, traditionnellement, à des enfants plus qu'à des élèves, l'école maternelle est devenue le point de départ incontournable du parcours scolaire.

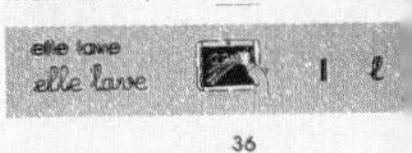

Dans ce manuel récent, l'école est présentée sous un aspect ludique, proche de l'ambiance familiale. Image trompeuse ? Le passage à la «grande école» est le plus souvent vécu comme le commencement des choses sérieuses. Un bon C.P. (Cours préparatoire) n'est-il pas le gage d'une bonne scolarité ?

n'est pas obligatoire ! Ce succès a des raisons matérielles : l'urbanisation et le travail des femmes a rendu les problèmes de garde des jeunes enfants plus complexes et plus onéreux. Mais surtout, il témoigne de la confiance massive qu'ont les Français dans la qualité de leur école maternelle. Depuis *La Maison des enfants* de Maria Montessori (traduit en 1919) et les travaux du Dr Ovide Decroly, connus à partir des années 1930, le jeu occupe, à l'école maternelle, une place centrale. Lié d'abord à un programme précis d'acquisitions sensorielles et motrices, il tend ensuite à devenir aussi un moyen d'expression et de motivation. Les parents adhèrent spontanément à cette pédagogie souriante et attentive, préservée des contraintes sélectives qui s'imposeront ultérieurement. Ils apprécient également le rôle de socialisation qu'assume l'école maternelle, l'insertion précoce de l'enfant dans un groupe, démarche naguère naturelle dans le milieu villageois, mais peu aisée dans la grande ville contemporaine.

«L'explosion scolaire»

Le chantier d'un des 2 354 collèges bâtis entre 1966 et 1975!

En 1928, la France comptait à peine 5 millions d'élèves, depuis la maternelle jusqu'à l'université. En 1986 : plus de 13 millions. A ces mêmes dates, la part des formations post-élémentaires est passée de 10 à 50%. L'enseignement secondaire s'est généralisé, bien au delà des prévisions les plus audacieuses de l'entre-deux-guerres. De 1965 à 1975, on a construit pas moins d'un collège nouveau par jour ouvrable!

En aval, dans les lycées, la vague, partiellement différée par le barrage de la sélection à l'entrée en seconde, est très sensible depuis 1985, après que le ministre Jean-Pierre Chevènement a proclamé la nécessité d'amener 80% des élèves au niveau du bac. Loin d'être un vœu pieux, le mot d'ordre, qui a rencontré beaucoup de scepticisme mais peu d'opposition, a été suivi d'effet. De 1985-1986 à 1991-1992 le taux d'accès d'une classe d'âge en terminale est passé de 36 à plus de 60 % ! A leur tour, les constructions de lycées se multiplient, sous l'égide des régions qui en sont responsables dans le cadre de la décentralisation. Le baccalauréat restant la porte

Le baccalauréat, à Paris en 1958. Les candidats reçus représentent alors 8 % de leur classe d'âge. En 1992, le cap des 50 % a été franchi pour la première fois.

d'entrée des universités, il était logique que les effectifs étudiants soient également touchés par la vague. Les 670000 étudiants de 1968 pouvaient bien paraître nombreux comparés aux 75000 de 1938 ; ils seraient un peu clairsemés sur les campus de 1992, qui en comptent près d'1,5 million, dans l'attente des 2 millions, au moins, prévus pour l'an 2000...

L'horizon fuyant de la démocratisation

A la veille du collège pour tous, les passerelles qui s'étaient multipliées entre les lycées légués par le système napoléonien et les formations primaires supérieures offraient aux bons élèves d'origine modeste de nouvelles opportunités. La démocratisation était réelle. Elle fut jugée insuffisante. Le brassage qui devait résulter du nouveau collège permettrait une sélection plus juste. Dès la fin des années 1960, pourtant, il était apparu que la réforme des structures ne garantissait pas une stricte égalité des chances. Des sociologues s'employèrent à démontrer que l'Ecole, en croyant distinguer le mérite scolaire, accordait une prime décisive aux héritiers de la culture bourgeoise ou dominante. La culture générale, à base d'humanités, était accusée de fausser les règles de l'orientation démocratique. L'audience de ces thèses contribua à la promotion des mathématiques au rang d'outil impartial de la sélection. L'expérience révéla que, si les mathématiques étaient bien devenues en peu

A l'assaut des universités : la queue pour les inscriptions à la faculté d'Assas.

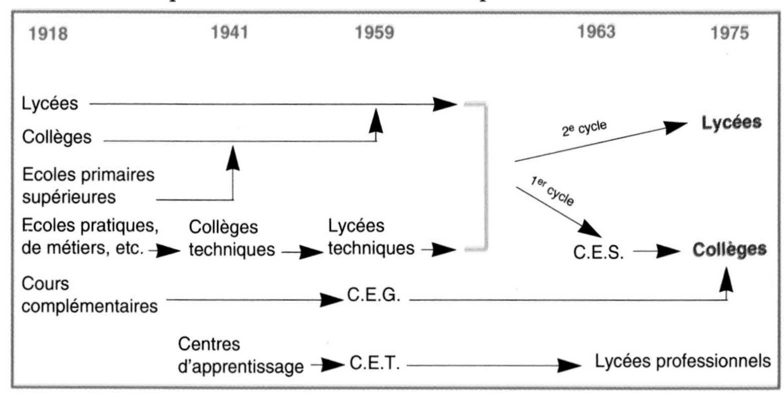

d'années la clef de l'orientation au détriment de la culture littéraire, la démocratisation des filières les plus recherchées avait plutôt régressé.

Paradoxalement, le collège unique, associé à la carte scolaire, a en effet accru les pesanteurs sociologiques. Les catégories sociales ayant tendance à ne pas cohabiter, les collèges reçoivent des clientèles beaucoup moins mélangées que prévu. L'égalité théorique des établissements et des filières s'efface devant l'évidence d'une hiérarchie implicite. Un pôle d'excellence, quasi-monopole des élèves de la série C, voie royale des grandes écoles et des carrières lucratives, tire l'essentiel de sa clientèle des catégories privilégiées. Pour lutter contre ces inégalités, l'idée prévaut, désormais, de mieux adapter l'enseignement au niveau réel de son public élargi. D'où la faveur actuelle de l'investissement pédagogique, dont témoignent la vitalité des sciences de l'éducation, la création récente des Instituts universitaires de formation des maîtres (I.U.F.M.), ou les initiatives multiples de soutien scolaire.

Le schéma simplifié de l'évolution des structures scolaires (page de gauche) fait apparaître, derrière les changements de dénomination, une ligne directrice continue. La diversité initiale des réseaux scolaires, conçus pour des clientèles socialement et scolairement différentes, aboutit à un système, simple d'apparence, où se superposent comme autant de tranches d'âge, l'école, le collège, le lycée voire l'université.

Ci-contre, une séance de travaux pratiques en physique au collège. Les sciences, devenues la clé de la sélection, sont l'objet d'un effort privilégié de la part des élèves. Dans la plupart des cas, il s'agit d'un investissement indirect : être «bon en maths», c'est l'assurance de n'être pas prématurément «orienté». La dépréciation qui en résulte pour les autres filières, générales et plus encore techniques et professionnelles, n'est pas le moindre problème du système actuel. D'où les efforts récents du ministère en vue d'élargir l'éventail des filières d'excellence.

Le choix de l'école

L'enseignement congréganiste, de nouveau toléré en 1914, a retrouvé une existence légale sous Vichy. Après 1945, la guerre scolaire reprend de plus belle. En 1951, les lois Marie et Barangé qui accordent aux écoles privées, catholiques à plus de 90%, le bénéfice de bourses et de subventions, sont ressenties par les défenseurs de la «Laïque» comme autant de provocations. La loi Debré (1959) n'en propose pas moins aux établissements privés un système de contrats qui transfère à l'Etat une partie de leur financement tout en leur reconnaissant un «caractère propre», qu'accentue encore la loi Guermeur (1977).

En apparence, l'enseignement privé n'a pas connu de profondes ruptures. En 1925, ses écoles primaires accueillaient 20% des élèves. En 1990, 15%. Dans le secondaire, où son poids était plus considérable avec près d'un collégien sur deux en 1940, il n'a pas pu suivre l'explosion des effectifs : sa part s'est réduite à 21% (1990), ce qui représente néanmoins, en chiffres absolus, une croissance importante.

Mais, peu à peu, l'école «libre» a changé de nature. Jusqu'aux années 1950, elle demeure peu ou prou le refuge des familles hostiles à l'école laïque. Le facteur

En 1984, la menace supposée d'une nationalisation de l'ensemble du système éducatif avait provoqué un grand mouvement protestataire et abouti au retrait du projet incriminé. Dix ans plus tard, la rupture du *statu quo*, cette fois à l'avantage des écoles privées, bénéficiaires de nouvelles possibilités de financement public, a provoqué une mobilisation sans précédent en faveur de l'école laïque et assuré le succès de la manifestation du 16 janvier 1994, à Paris (ci-dessus). Trois jours plus tôt, le Conseil constitutionnel avait vidé de son contenu la loi du 15 décembre 1993, ressentie comme une atteinte à l'égalité des citoyens face à l'école.

religieux tend ensuite à s'estomper, alors même que la cause de l'école privée rencontre une faveur croissante. En 1974, 77% des Français se disent favorables à des subventions, contre 23% en 1946. L'école privée offre désormais, surtout aux familles aisées, une alternative aux contraintes de l'école publique. On y vient pour des raisons diverses : par refus d'une décision d'orientation, pour échapper à la carte scolaire, pour garantir à ses enfants une discipline «plus stricte» et de «bonnes fréquentations», ou simplement parce qu'on estime qu'elle est de meilleure qualité. Les échanges d'élèves entre les deux écoles ont d'ailleurs augmenté. Les collèges des Bons Pères, auxquels on était voué jadis par de solides fidélités familiales, figurent aujourd'hui parmi d'autres... sur les tableaux comparatifs qu'étudient les «consommateurs d'école», en quête des stratégies scolaires les plus payantes.

En se voulant à la fois créatrice d'unité nationale et porteuse de valeurs universelles, l'école de la République a fait preuve d'une remarquable capacité d'intégration vis-à-vis de populations, locales ou immigrées, qui y étaient a priori peu disposées du fait de leur traditions, et de leur langue. Elle était alors sûre de son droit et de la promotion qu'elle offrait. Aujourd'hui, en dépit des revendications identitaires, elle continue d'assumer ce rôle, conformément au vœu majoritaire des familles immigrées.

L'école au cœur du débat public

En 1920, la majorité des élèves quittait l'école à 13 ans, sans même avoir son certificat, tandis que les lycées produisaient environ 10000 bacheliers. En 1994, le nombre des bacheliers avoisine les 460000 (dont plus de 270000 pour l'enseignement général), soit près de 60% d'une classe d'âge. C'est l'aspect le plus tangible de la démocratisation. L'élévation du niveau d'instruction qu'il implique n'est ni contestable ni négligeable. Mais l'espoir que l'Ecole contribuerait, de la sorte, à rendre la société plus égalitaire a été déçu. En outre, les problèmes nés de la massification du collège, du lycée et de l'université sont l'objet de controverses qui sortent du cadre de l'institution et divisent l'opinion. Le succès de la campagne en faveur de l'école privée, en 1984, et la réplique massive des défenseurs de l'école publique en 1994, en ont fourni des exemples spectaculaires. Au terme d'un siècle de réformes qui l'ont métamorphosée, l'école se retrouve, plus que jamais, au cœur du débat public...

TÉMOIGNAGES ET DOCUMENTS

La charte de la laïcité

Le 27 novembre 1883, Jules Ferry adresse à tous les instituteurs une lettre où il expose les principes fondamentaux de l'école laïque.

«Monsieur l'Instituteur,

L'année scolaire qui vient de s'ouvrir sera la seconde année d'application de la loi du 28 mars 1882. Je ne veux pas la laisser commencer sans vous adresser personnellement quelques recommandations qui sans doute ne vous paraîtront pas superflues, après la première expérience que vous venez de faire du régime nouveau. Des diverses obligations qu'il vous impose, celle assurément qui vous tient le plus au cœur, celle qui vous apporte le plus lourd surcroît de travail et de souci, c'est la mission qui vous est confiée de donner à vos élèves l'éducation morale et l'instruction civique : vous me saurez gré de répondre à vos préoccupations en essayant de bien fixer le caractère et l'objet de ce nouvel enseignement ; et, pour y mieux réussir, vous me permettrez de me mettre un instant à votre place, afin de vous montrer, par des exemples empruntés au détail même de vos fonctions, comment vous pourrez remplir, à cet égard, tout votre devoir, et rien que votre devoir.

La loi du 28 mars se caractérise par deux dispositions qui se complètent sans se contredire : d'une part, elle met en dehors du programme obligatoire l'enseignement de tout dogme particulier ; d'autre part, elle y place au premier rang l'enseignement moral et civique. L'instruction religieuse appartient aux familles et à l'Eglise, l'instruction morale à l'école. Le législateur n'a donc pas entendu faire une œuvre purement négative. Sans doute il a eu pour premier objet de séparer l'école de l'Eglise, d'assurer la liberté de conscience et des maîtres et des élèves, de distinguer enfin deux domaines trop longtemps confondus : celui des croyances, qui sont personnelles, libres et variables, et celui des connaissances, qui sont communes et indispensables à tous, de l'aveu de tous. Mais il y a autre chose dans la loi du 28 mars : elle affirme la volonté de fonder chez nous une éducation nationale, et de la fonder sur des notions du devoir et du droit que le législateur n'hésite pas à inscrire au nombre des premières vérités que nul ne peut ignorer. Pour cette partie capitale de l'éducation, c'est sur vous, Monsieur, que les pouvoirs publics ont compté. En vous dispensant de l'enseignement religieux, on n'a pas songé à vous décharger de l'enseignement moral : c'eut été vous enlever ce qui fait la dignité de votre profession. Au contraire, il a paru tout naturel que l'instituteur, en même temps qu'il apprend aux enfants à lire et à écrire, leur enseigne aussi ces règles élémentaires de la vie morale qui ne sont pas moins universellement acceptées que celle du langage ou du calcul. [...]

J'ai dit que votre rôle, en matière d'éducation morale, est très limité. Vous n'avez à enseigner, à proprement parler, rien de nouveau, rien qui ne vous soit familier comme à tous les honnêtes gens. Et, quand on vous parle de mission et d'apostolat, vous n'allez pas vous y méprendre : vous n'êtes point l'apôtre d'un nouvel Evangile : le législateur n'a voulu faire de vous ni un philosophe ni un théologien improvisé. Il ne vous demande rien qu'on ne puisse demander à tout homme de cœur et de sens. Il est impossible que vous voyiez chaque jour tous ces enfants qui se pressent autour de vous, écoutant vos leçons, observant votre conduite, s'inspirant de vos exemples, à l'âge où l'esprit s'éveille, où le cœur s'ouvre, où la mémoire s'enrichit, sans que l'idée vous vienne aussitôt de profiter de cette docilité, de cette confiance, pour leur transmettre, avec les connaissances scolaires proprement dites, les principes mêmes de la morale, j'entends simplement cette bonne et antique morale que nous avons reçue de nos pères et mères et que nous nous honorons tous de suivre dans les relations de la vie, sans nous mettre en peine d'en discuter les bases philosophiques. Vous êtes l'auxiliaire et, à certains égards, le suppléant du père de famille : parlez donc à son enfant comme vous voudriez que l'on parlât au vôtre : avec force et autorité, toutes les fois qu'il s'agit d'une vérité incontestée, d'un précepte de la morale commune ; avec la plus grande réserve, dès que vous risquez d'effleurer un sentiment religieux dont vous n'êtes pas juge.

Si parfois vous étiez embarrassé pour savoir jusqu'où il vous est permis d'aller dans votre enseignement moral, voici une règle pratique à laquelle vous pourrez vous tenir. Au moment de proposer aux élèves un précepte, une maxime quelconque, demandez-vous s'il se trouve à votre connaissance un seul honnête homme qui puisse être froissé de ce que vous allez dire. Demandez-vous si un père de famille, je dis un seul, présent à votre classe et vous écoutant, pourrait de bonne foi refuser son assentiment à ce qu'il vous entendrait dire. Si oui, abstenez-vous de le dire ; sinon, parlez hardiment : car ce que vous allez communiquer à l'enfant, ce n'est pas votre propre sagesse ; c'est la sagesse du genre humain, c'est une de ces idées d'ordre universel que plusieurs siècles de civilisation ont fait entrer dans le patrimoine de l'humanité. Si étroit que vous semble peut-être un cercle d'action ainsi tracé, faites-vous un devoir d'honneur de n'en jamais sortir, restez en deçà de cette limite plutôt que vous exposer à la franchir : vous ne toucherez jamais avec trop de scrupule à cette chose délicate et sacrée, qui est la conscience de l'enfant. Mais, une fois que vous vous êtes ainsi loyalement enfermé dans l'humble et sûre région de la morale usuelle, que vous demande-t-on ? Des discours ? Des dissertations savantes ? De brillants exposés, un docte enseignement ? Non ! La famille et la société vous demandent de les aider à bien élever leurs enfants, à en faire des honnêtes gens. C'est dire qu'elles attendent de vous non des paroles, mais des actes, non pas un enseignement de plus à inscrire au programme, mais un service tout pratique, que vous pouvez rendre au pays plutôt encore comme homme que comme professeur. [...]

C'est ici cependant qu'il importe de distinguer de plus près entre l'essentiel et l'accessoire, entre l'enseignement moral, qui est obligatoire, et les moyens d'enseignement, qui ne le sont pas. Si quelques personnes, peu au courant de la pédagogie moderne, ont pu croire que nos livres scolaires d'instruction morale et civique allaient être une sorte de catéchisme nouveau, c'est là une erreur que ni vous, ni vos collègues, n'avez pu commettre. Vous savez trop bien que, sous le régime de libre examen et de libre concurrence qui est le droit commun en matière de librairie classique, aucun livre ne vous arrive imposé par l'autorité universitaire. Comme tous les ouvrages que vous employez, et plus encore que tous les autres, le livre de morale est entre vos mains un auxiliaire et rien de plus, un instrument dont vous vous servez sans vous y asservir. [...]

Pour donner tous les moyens de nourrir votre enseignement personnel de la substance des meilleurs ouvrages, sans que le hasard des circonstances vous entraîne exclusivement à tel ou tel manuel, je vous envoie la liste complète des traités d'instruction morale ou d'instruction civique qui ont été, cette année, adoptés par les instituteurs dans les diverses académies ; la bibliothèque pédagogique du chef-lieu du canton les recevra du ministère, si elle ne les possède déjà, et les mettra à votre disposition. Cet examen fait, vous restez libre ou de prendre un de ces ouvrages pour en faire un des livres de lecture habituelle de la classe ; ou bien d'en employer concurremment plusieurs, tous pris, bien entendu, dans la liste générale ci-incluse ; ou bien encore, vous pouvez vous réserver de choisir vous-même, dans différents auteurs, des extraits destinés à être lus, dictés, appris. Il est juste que vous ayez à cet égard autant de liberté que vous avez de responsabilité. Mais, quelque solution que vous préfériez, je ne saurais trop vous le dire, faites toujours bien comprendre que vous mettez votre amour-propre, ou plutôt votre honneur, non pas à adopter tel ou tel livre, mais à faire pénétrer profondément dans les générations l'enseignement pratique des bonnes règles et des bons sentiments.

Il dépend de vous, Monsieur, j'en ai la certitude, de hâter par votre manière

d'agir le moment où cet enseignement sera partout non pas seulement accepté, mais apprécié, honoré, aimé comme il mérite de l'être. Les populations mêmes dont on a cherché à exciter les inquiétudes ne résisteront pas longtemps à l'expérience qui se fera sous leurs yeux. Quand elles vous auront vu à l'œuvre, quand elles reconnaîtront que vous n'avez d'autre arrière-pensée que de leur rendre leurs enfants plus instruits et meilleurs, quand elles remarqueront que vos leçons de morale commencent à produire de l'effet, que leurs enfants rapportent de votre classe de meilleures habitudes, des manières plus douces et plus respectueuses, plus de droiture, plus d'obéissance, plus de goût pour le travail, plus de soumission au devoir, enfin tous les signes d'une incessante amélioration morale, alors la cause de l'école laïque sera gagnée : le bon sens du père et le cœur de la mère ne s'y tromperont pas, et ils n'auront pas besoin qu'on leur apprenne ce qu'ils vous doivent d'estime, de confiance et de gratitude.

J'ai essayé de vous donner, Monsieur, une idée aussi précise que possible d'une partie de votre tâche qui est, à certains égards, nouvelle, qui de toutes est la plus délicate ; permettez-moi d'ajouter que c'est aussi celle qui vous laissera les plus intimes et les plus durables satisfactions. Je serais heureux si j'avais contribué par cette lettre à vous montrer toute l'importance qu'y attache le gouvernement de la République, et si je vous avais décidé à redoubler d'efforts pour préparer à notre pays une génération de bons citoyens.
Recevez, Monsieur l'Instituteur, l'expression de ma considération distinguée.»

Le président du Conseil,
ministre de l'Instruction publique
et des Beaux-Arts, Jules Ferry.

dans Paul Robiquet,
Discours et opinions politiques de J. Ferry,
t. IV, Armand Colin, 1898

Portraits de maîtres

Trois maîtres, trois vocations, trois époques. De l'instituteur autodidacte, contemporain de la Restauration, à l'institutrice libertaire marquée par la Grande Guerre, en passant par le «hussard noir» modèle Ferry : autant de figures particulières. Mais la même conviction que l'école peut tout, ou presque, en bien comme en mal...

«Les tribulations d'un instituteur percheron, Louis-Arsène Meunier (1801-1887)»

Je suis né à Nogent-le-Rotrou, le 17 juillet 1801 de parents extrêmement pauvres. Mon père exerçait le métier d'étaminier, et ma mère celui de fileuse. [...] Au commencement de l'année 1817, un cultivateur nommé Gauthier, qui occupait la ferme de la Chesnaye, située à quatre ou cinq kilomètres de Nogent-le-Rotrou, me proposa d'aller habiter chez lui pour montrer à ses enfants à lire, à écrire et à calculer. La nourriture à la table commune, un lit dans une étable, avec une rétribution de quarante sous par mois, tels étaient les avantages et les émoluments qu'il m'offrait.

Comme je ne devais consacrer à l'instruction de ses enfants que quatre heures par jour, deux heures le matin et deux heures le soir, il me laissait la faculté d'employer le reste de mon temps à donner des leçons dans les fermes du voisinage. Ce fut ainsi que je débutai dans la carrière de l'enseignement primaire. J'avais quinze ans et demi!

A cette époque, la moitié des instituteurs du moins dans les campagnes du Perche étaient des instituteurs ambulants. On les trouvait, soit dans les communes privées d'écoles communales alors en grand nombre, soit dans des fermes isolées ou des hameaux éloignés des centres de population qui avaient le privilège de posséder une classe régulière. Le sort de ces instituteurs ambulants était souvent préférable à celui de leurs confrères qui dirigeaient des écoles de village, car, outre que la rétribution payée par leurs élèves était la même (dix sous par mois pour les élèves qui apprenaient à lire seulement, douze sous pour ceux qui apprenaient en outre le calcul), ils avaient leur pain quotidien assuré par la faculté qu'ils avaient de prendre un repas dans chacune des maisons où ils se rendaient. Quant à l'enseignement, celui des uns ne différait en aucune façon de celui des autres : mêmes matières, c'est-à-dire lecture, écriture et calcul; même méthode, c'est-à-dire méthode individuelle. [...]

En arrivant à la Chesnaye, je n'avais guère plus de connaissances que les deux pauvres instituteurs dont j'allais devenir le concurrent, je savais bien lire, c'était là mon principal talent plus estimé des gens de la campagne à cette époque que celui même de bien écrire par cette raison qu'ils avaient moins besoin pour eux-mêmes de ce dernier que de l'autre. Non seulement je lisais bien à haute voix, grâce à un organe sonore et une prononciation distincte, mais personne ne déchiffrait mieux que moi, à première vue les vieux manuscrits sur parchemin qu'on appelait des contrats. J'écrivais et je calculais passablement, j'étais assez fort sur l'orthographe et connaissais un peu les règles de la grammaire. De plus, je possédais quelques notions de géographie et de sphère, que j'avais acquises en étudiant l'ouvrage de Crozat qui m'était tombé par hasard dans les mains. C'était tout; à moins qu'on veuille bien me compter encore les notions d'histoire ecclésiastique et de théologie que je devais à une lecture assidue de plusieurs vieux bouquins composant ma bibliothèque de famille. [...]

Instituteur rural à Berd'huis en 1818...

Dès le lendemain de ma conversation avec la maîtresse Brouard, je me rendis auprès du maire et du curé de Berd'huis qui, l'un et l'autre, me firent un accueil très favorable et m'invitèrent à commencer sans aucun retard. Le jour même, je louai une chambre et le lundi de la semaine suivante, ma classe s'ouvrait avec une quarantaine d'élèves, filles et garçons, en cette commune de Berd'huis, située dans le canton de Nocé, arrondissement de Mortagne.
J'étais donc enfin un véritable instituteur à la tête d'une école importante, et qui promettait de le devenir davantage, car la commune de berd'huis comptait 900 habitants, et cette population fort aisée, en général, m'aurait fourni soixante à quatre-vingts élèves, si la saison n'eût pas été aussi avancée. L'avenir m'apparaissait sous les couleurs les plus riantes, et je trouvais le présent, comparativement au passé, satisfaisant sous tous les rapports.

Mon école me produisait près de trente francs par mois (le taux de la rétribution y était fixé comme partout à 10, 12 et 15 sous par mois, suivant le degré d'instruction des élèves), et je n'avais presque aucune dépense à faire grâce à divers arrangements que j'avais faits avec des pères de famille. D'abord, deux leçons particulières que j'allais donner dans deux fermes, avant et après mes classes, me valaient chaque jour mon déjeuner et mon souper. [...] Restait donc à ma charge le loyer de ma classe seulement, qui était de trente-six francs par an, soit trois francs par mois. [...]

... à Nogent-le-Rotrou en 1820

En 1820, au moment où j'ouvris une école primaire à Nogent-le-Rotrou, il existait dans cette ville six établissements pour l'instruction des garçons, savoir : le collège, qui avait pour principal M. Bouchard; une école secondaire et primaire dirigée par M. Rocton; l'école gratuite des Frères ayant à sa tête le frère Philippe; enfin, trois écoles primaires non subventionnées tenues par

MM. Bodin, Breton et Liberge. [...].

Au moment où je m'établissais, toutes les institutions existantes, à l'exception du collège, présentaient des côtés faibles par où il était possible à une concurrence sérieuse de s'ouvrir un passage. Dans des circonstances aussi favorables, un étranger eût certainement obtenu un succès complet. Mais nul n'est prophète en son pays; j'en fis la triste expérience! On connaissait mon humble origine, les rudes épreuves de ma jeunesse, je n'avais pas fait d'études classiques et ce que je savais, je l'avais appris seul en grande partie; tout cela aurait dû m'attirer la bienveillance et la sympathie de mes compatriotes; mais sauf un petit nombre qui avaient l'âme assez élevée et le jugement assez sain pour m'en faire un mérite, la plupart n'y voyaient que matière à me dénigrer. Mes rivaux furent naturellement les premiers à déblatérer contre moi. [...]

Heureusement, la jalousie sert plutôt à grandir ceux qu'elle poursuit qu'à les abaisser; on s'enquit de mon enseignement et des résultats que j'obtenais. [...] Mon école était devenue la plus nombreuse de toutes les écoles privées de la ville. Mon succès était complet. [...]

Lutte sans merci avec l'école des Frères

Mais on m'avait préparé et j'allais avoir à soutenir une lutte terrible. L'école chrétienne périclitait dans les mains du frère Philippe et marchait vers une complète décadence. Déjà bon nombre d'élèves en étaient sortis pour venir chez moi et il n'y restait presque plus que les enfants trop pauvres pour payer une rétribution. Or, cet établissement datait d'un siècle et, par conséquent, était un des plus anciens de l'institut : le

supérieur général, ainsi que la gent dévote du pays, devait donc tenir à le relever. Pour cela, un des membres les plus habiles de la congrégation fut placé à sa tête; on l'appelait le frère Raymond. C'était un homme d'une belle prestance et d'une figure agréable; aux avantages de sa personne, il joignait le savoir-faire et l'esprit d'un intrigant. Chaque jour, aux autres heures que celles des classes, on le voyait parcourir les rues, caresser et embrasser les enfants qu'il rencontrait, même ceux qui n'allaient pas à son école, causer familièrement avec leurs parents, avec les premiers venus qui passaient ou avec les gens qui se tenaient sur leurs portes. Il visitait souvent les membres du clergé, les autorités, les personnages influents, et pour se grandir aux yeux du reste de la population, affectait, en public de paraître vivre avec eux sur un pied d'égalité. Par tous ces manèges, il eut bientôt séduit tout le monde, les femmes surtout, les mères que charmaient sa bonne mine et les cajoleries qu'il faisait à leurs enfants. Les enfants abondèrent dans l'école de sorte

qu'en quelques mois le nombre des élèves en fut presque doublé. La plupart de ces enfants venaient des campagnes voisines à plusieurs lieues à la ronde, les autres sortaient des différentes écoles de la ville. J'eus à souffrir, comme mes confrères, de cet entraînement presque général, entraînement secondé par la parcimonie des pères de famille qui trouvaient plus commode de faire instruire leurs fils gratuitement plutôt que de payer une rétribution. [...]

Une seule chose me parut pouvoir être tentée, sinon pour empêcher ma chute, du moins pour la retarder : ce fut de tâcher d'obtenir le brevet du premier degré, afin de prouver que mes connaissances s'étaient étendues et perfectionnées par l'étude, et que j'étais en état de donner un enseignement supérieur à celui de l'école chrétienne.

L'enseignement mutuel

Bientôt pourtant mes anciens coreligionnaires politiques [les libéraux], entrés à la municipalité, tramèrent contre moi un coup dont je ne devais pas me relever : ils firent décider par le comité cantonal qu'une école mutuelle serait annexée au collège, et qu'un directeur serait demandé à la Société élémentaire de Paris. [...] Je me ressaisis, avançai ma distribution de prix et résolus d'aller à Paris suivre, en août 1831, le Cours normal, afin d'introduire à la rentrée la méthode mutuelle dans ma classe. [...]

Je suivis le Cours normal trois semaines seulement et me hâtai de retourner à Nogent pour organiser ma classe selon les principes de l'enseignement mutuel surtout acquis par mes visites d'écoles de Paris. Je fis abattre un refend pour l'agrandir en y joignant une pièce voisine. Ma nouvelle salle avait 10 m 50 sur 7 m et pouvait contenir une centaine d'élèves. Je la garnis d'un matériel complet entièrement neuf : tables et bancs avec leurs ardoises, leurs porte-tableaux, leurs télégraphes (?); tableaux noirs avec leurs cordes, leurs planchettes et autres accessoires; collections de lecture, d'arithmétique, de grammaire et de dessin, collées sur bois et appendues symétriquement le long des murs. Rien n'y manquait, pas même la mirobolante ellipse du père Verdit, et tout y était reluisant de propreté et de fraîcheur. [...]

dans *Cahiers percherons,* n° 65-66, Association des amis du Perche, 1981.

En 1912, le «Manuel général de l'Instruction primaire» organise un concours sollicitant le témoignage de ses abonnés sur le thème de «l'instituteur dans la société moderne». Le premier prix revint à Aimé Touchard, instituteur à Mézeray, dans la Sarthe.

– Ma situation matérielle serait assez précaire, si je ne remplissais les fonctions de secrétaire de Mairie et de trésorier de la Caisse d'épargne. Je suis en 3e classe, à l'âge de 41 ans, avec traitement de 1.800 fr. J'ai quatre enfants; et, vraiment, nous connaîtrions la misère, sans l'appoint que me vaut mon travail extra-scolaire.

Voilà une idée qui, je crois, se dégagera manifestement de l'enquête instituée par le *Manuel général* : l'insuffisance de nos traitements. En fait, l'instituteur est un fonctionnaire qui ne gagne pas sa vie. Il ne la gagne pas puisqu'il est obligé de recourir à d'autres besognes pour faire vivre les siens.

Et, malheureusement, ces autres besognes le détournent de sa tâche essentielle, de celle qu'il aime, et pour laquelle il a la tristesse de ne pouvoir assez se dévouer. [...]

De huit heures et demie à quatre heures : classe; mais classe interrompue par d'assez fréquentes visites. J'exerce mes fonctions dans une commune de 1 700 habitants environ, à population essentiellement agricole : l'agglomération du bourg ne compte pas plus de 400 habitants. Je ne crois pas qu'un jour se passe sans qu'un coup frappé à la porte vitrée de la salle d'école m'indique la présence d'un brave homme qui réclame l'assistance de ma plume. Il me faut arrêter une leçon, couper court à la préparation d'un devoir, pour courir à la mairie toute proche, et, bravant les rigueurs du règlement, confier les enfants à la surveillance du premier d'entre eux, pendant que je reçois une déclaration d'état civil, que j'inscris le signalement d'un cheval, que j'étudie un bordereau d'impôts trop chargé, etc., etc.

Pourrais-je éviter cet ennui, vraiment intolérable à certains jours? Sincèrement, je ne le pense pas, du moins sans autres inconvénients plus sérieux encore.

Mais quatre heures sonnent : j'emporte les 56 cahiers des 56 élèves de ma classe, afin de contrôler leur travail de la journée.

Je m'installe auprès de ma lampe, et j'annote quelques pages. Ma sonnette tinte : un membre de la «Société des Amis des Livres» me rapporte deux volumes qu'il a lus. Nous courons, tous deux, à la bibliothèque. Ne suis-je pas, en effet, et j'en ai quelque fierté, le fondateur et le secrétaire de cette association?

Nous examinons les ouvrages qui garnissent les rayons. Mon lecteur hésite, me consulte, se décide, s'empare d'un ouvrage, le feuillette… Puis, qu'est-ce qui l'a choqué?… Un texte trop serré, une série de pages trop descriptives, quelques phrases de style artiste, ou de fine – trop fine – psychologie? Mystère. Il remet le volume sur un rayon, cherche à nouveau, choisit enfin.

Et je n'ai pas fini d'inscrire au registre des prêts, son nom et le titre de l'ouvrage emprunté, que ma sonnette retentit de nouveau. Hélas ! je suis encore secrétaire de la société musicale. Et il s'agit de convoquer le Conseil d'Administration : soit 7 ou 8 lettres à rédiger et adresser.

Troisième coup de sonnette : c'est un certificat de vie que me réclame mon voisin, titulaire d'une pension de retraite. Enfin, un cultivateur s'avance. Avec force détails, il me raconte comment la maladie a terrassé une de ses vaches. Et je me souviens de mon titre de secrétaire de la Société locale de «Secours mutuels entre les cultivateurs contre la mortalité des animaux de race bovine» : je me prépare à convoquer les 25 commissaires chargés, après évaluation de la perte, de rembourser au sociétaire frappé le prix de l'animal qu'il a perdu.

Dieu merci, aucune déclaration nouvelle n'est survenue. Dieu merci, le Conseil municipal, le Bureau de bienfaisance sont en vacances, Dieu merci, aucun cortège nuptial ne s'avance vers la Mairie !

Mais il est 6 heures. J'ai à peine le temps de prendre mon repas du soir qu'il me faut courir à ma classe, car mes adultes arrivent. Et, de 7 heures à 9 heures, deux fois par semaine, je m'efforce à les intéresser, à raviver en eux le foyer, allumé voilà quelques années, et bien refroidi déjà, de la vie intellectuelle.

Et, après 9 heures, le cerveau fatigué et vide, une meurtrissure aux épaules qui réclame le repos, je reviens à mes cahiers.

56 cahiers à voir, ce n'est pas la besogne futile que l'on s'imaginerait volontiers.

C'est 56 enfants qui ont besoin de sentir, demain matin, à l'heure de la rentrée, l'intérêt apporté par le maître à leur travail, pour s'y intéresser eux-même davantage ; ce sont de petites énergies qui se sont abandonnées, et qui se laisseront emporter à la dérive, si une note, un mot, une parole du maître, demain matin, ne leur donne pas le réconfort dont elles ont besoin ; c'est un mauvais élève – disons plutôt un pauvre enfant – à qui le travail répugne, mais qui a eu, dans la journée, une velléité d'application, dont témoignent quelques lignes mieux écrites, un devoir plus soigné ; et qui ne persévérera peut-être pas, qui ne pourra pas persévérer, qui sombrera dans la somnolence et l'engourdissement, s'il n'est, lui aussi, encouragé par un mot affectueux, s'il ne sent pas que le moindre de ses efforts, en classe, lui sera compté, lui vaudra l'estime de son maître.

La correction des cahiers, c'est la faute révélatrice qui éclairera le maître sur l'orientation qu'il doit donner à ses efforts, qui, parfois, le renseignera sur la psychologie d'un enfant attardé ou d'un tempérament original.

Au travail donc, malgré la fatigue. Et de 9 à 11 heures, (deux minutes par cahier ne sont pas toujours suffisantes) j'examine mes cahiers ; trop hâtivement, car je sais que tout un travail m'attend ensuite : rédaction d'actes d'état-civil, préparation des sessions du Conseil municipal et du Bureau de bienfaisance, rédaction des procès-verbaux des séances, recherches statistiques, vaccination, retraites ouvrières, budgets, liste électorale, registre d'inscription des chevaux, recensement des conscrits, assistance médicale, mémoires et mandats des fournisseurs de la commune et du Bureau, etc., etc., suivant les saisons.

Et cependant, une préparation de classe ne serait pas inutile pour le lendemain… Il est une heure du matin, souvent, avant que j'aie pu y songer. Et le cerveau endolori ne fonctionne plus. Il est temps de gagner son lit ; et toute la fatigue de la journée ne sera pas dissipée le lendemain matin, à l'heure de la classe. [...]

Ce que je désirerais de tout mon cœur, ce serait d'avoir une heure, chaque jour, pour me tenir au courant du mouvement littéraire et scientifique ; – pour renouveler la matière de mes leçons de morale, d'histoire, de géographie ; – pour me préparer plus sérieusement à donner un enseignement post-scolaire véritablement intéressant, pratique et

utilitaire ; – pour approfondir certains sujets et continuer l'œuvre de ma formation intellectuelle ; – pour me garder enfin contre la routine, contre les funestes effets de ce savoir superficiel, qui confine à l'ignorance encyclopédique, et dont certains de nos grands hommes «chers au *Temps*», nous accordent si bénévolement le monopole.

Mais, où trouver cette heure, quand je n'ai le temps ni de rentrer mon bois, ni de cultiver mon jardin ?

Mais vos jeudis, vos dimanches ?

Mes dimanches sont entièrement

ni, uni.

employés à la Mairie et à la Caisse d'épargne. Je n'ai pas, en moyenne, un dimanche par mois, le loisir de faire une promenade avec ma famille.

Le jeudi, lui aussi, est en grande partie consacré aux travaux multiples du secrétariat de la Mairie. Mais, dès qu'arrive le mois de février, je le réserve à mes élèves. Je rassemble mes candidats éventuels au certificat d'études ; et je m'attire les remontrances des miens : «Enfin, pourquoi cet excès de travail?» A quoi je réponds «Eh ! il faut tout de même bien que j'aie quelques bons moments !»

Et ces bons moments, c'est bien là

que je les passe, au milieu de ma classe. Car, si le tableau de ma situation matérielle, tel que je viens de l'esquisser, offre quelques traits sombres, je puis déclarer bien haut que celui de ma situation morale est tout entier illuminé par la joie sereine que me procure l'exercice de ma profession.

Oh ! le charme souverain de la classe ! Quel instituteur-poète, épris de son métier, nous dira l'intérêt puissant et doux de la leçon qui fait luire les yeux, qui éclaire les fronts, qui concentre la lumière des prunelles sur les regards du maître, qui incline les corps en avant, qui captive l'attention, qui éveille et vivifie les esprits, qui les attache aux parcelles de sciences, qui leur ouvre la voie vers les divines clartés !

Aimé Touchard,
dans *Manuel général de l'Instruction primaire,*
1912

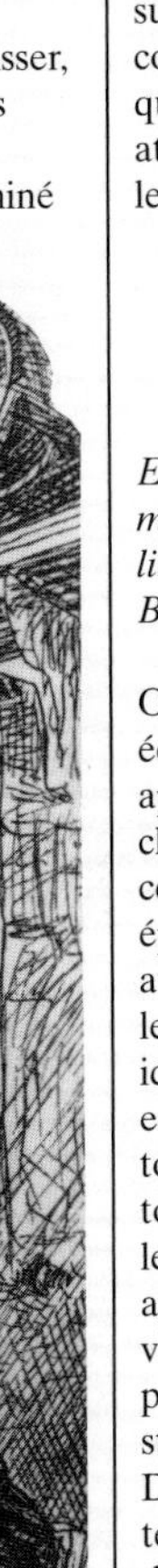

Emilie Carles, dont la Première Guerre mondiale a développé le tempérament libertaire, est nommée en 1922 dans le Briançonnais, sa région d'origine.

On avait beau dire qu'un siècle s'était écoulé entre le début de la guerre et après, il restait quand même pas mal de choses à changer, et c'était justement cette question qui me préoccupait à cette époque-là : le rôle que je devais avoir auprès des enfants dans des pays comme les nôtres. C'était difficile de se faire une idée claire, mais ça me paraissait essentiel d'essayer. Ce qu'il fallait avant tout, c'était leur ouvrir les yeux, faire tomber toutes ces vieilles coutumes pour leur apprendre à vivre autrement, leur apprendre à vivre tout court et à aimer la vie, les détacher de l'alcoolisme et les prévenir contre les mensonges et les stupidités de l'Eglise et de l'Etat. Depuis que j'étais petite fille j'avais tellement désiré devenir maîtresse d'école que j'avais eu le temps de prendre conscience de l'importance de cette mission. A mes yeux les instituteurs sont responsables de toute la société. Ce sont eux qui ouvrent l'esprit aux gosses, qui leur montrent ce qui est bien et ce qui est mal. Cette responsabilité était maintenant la mienne et je devais en assumer les conséquences. Je me sentais suffisamment courageuse et patiente pour y parvenir, parce que, quand on a

des gosses avec soi, il ne suffit pas de leur apprendre à lire, à écrire et à compter, il faut aussi leur apprendre à lire entre les lignes c'est-à-dire à réfléchir et à penser par eux-mêmes, et ça, ce n'est pas toujours facile. Ce qui est essentiel, c'est qu'un enfant dans une classe, n'importe lequel, se sente aimé et considéré, qu'il sente que le maître ou la maîtresse ne le prend ni pour un numéro ni pour un polichinelle, et que tout ce qu'on lui demande, c'est pour son bien. A partir de là bien des choses peuvent se passer, mais il faut de l'amour pour y parvenir. Sans amour il vaut mieux ne pas enseigner, il vaut mieux faire un autre métier. Pour moi c'était une vocation. [...]

A l'approche des élections on voyait arriver un Rothschild ou un Petch, qui venait faire son tour. Du jour au lendemain, ces hommes qui étaient des crésus et des banquiers qui vivaient à Paris, débarquaient dans nos villages pour visiter les électeurs et les convaincre. Je m'en souviens, je l'ai vu de mes yeux, le futur député se baladait en donnant le bras au maire et tous les deux faisaient le tour des maisons en distribuant des billets de 50 et 100 francs aux paysans. Le maire indiquait les gens intéressants et la somme :
«Celui-là vous lui donnez 100 francs, celui-là 50 suffiront.» C'était simple, ils achetaient les voix. Après ils s'arrangeaient entre eux. Le maire aussi touchait des pots-de-vin et il avait des avantages. C'était ainsi que les choses se passaient. C'est pour ces raisons que je disais à mes gosses que le suffrage universel c'était une duperie et qu'il fallait s'en méfier comme de la peste. Aux paysans aussi j'essayais d'ouvrir les yeux, je leur disais : «Mais pauvres comme nous sommes, laborieux comme nous sommes, comment pouvons-nous voter pour des milliardaires, ils ne peuvent pas défendre l'intérêt des travailleurs.» [...]

Il y a un autre fléau contre lequel je me suis élevée et battue, c'est l'épargne.

A l'époque, la politique officielle voulait que l'on apprenne aux enfants à épargner. Je me rappelle m'être violemment opposée à ça en pleine conférence, j'ai dit que je refusais de donner aux gosses des leçons d'épargne. Je l'ai refusé non seulement en mon nom, mais aussi au nom des instituteurs en général dont beaucoup étaient des partisans du «bas de laine». Ici c'était le principe admis, dès qu'un malheureux avait quatre sous il courait les placer à la caisse d'épargne… Ils donnaient dix francs, puis vingt, puis trente, à dix ans il fallait que les enfants aient un carnet et à l'école déjà on leur demandait de verser deux sous par semaine à la mutuelle. Pour moi c'était un crime que de se taire, que de ne pas leur dire qu'avec l'inflation tout ce que l'on donne à l'Etat devient bon à jeter à la poubelle. Sur ce point j'étais intraitable, je leur disais : «Ne mettez jamais un sou à la caisse d'épargne, n'achetez jamais des emprunts, prenez le peu d'argent que vous avez et achetez tout ce qui est nécessaire pour votre bien-être, équipez-vous, installez-vous mais ne donnez jamais un centime au gouvernement. Pour les guerres c'était la même chose, quelle honte que de parler aux enfants de la France cocardière, de cette France qui ne se trompe jamais… Depuis que j'étais tout enfant j'avais en horreur toutes les pages de notre histoire où les dates à retenir ne sont que des victoires et les noms propres que des héros. Evidemment dans mes cours je me suis efforcée de rester dans le cadre de ce qui était permis, mais tout de même j'essayais de donner un peu de vie aux images d'Epinal que leur dispensaient les manuels d'histoire. Lorsque nous en étions aux guerres de religions je leur parlais de la tolérance, au moment de la révolution je leur disais que les sans-culottes avaient été à la fois les pionniers de la liberté et les victimes du suffrage universel et quand venaient les guerres napoléoniennes je m'efforçais de détruire l'image mythique du petit général. J'étais impitoyable, je leur disais : «Cet homme a été un tyran pour l'Europe, peu importent les raisons qui l'ont fait agir, rien ne peut justifier les millions de gens qui sont morts à cause de lui, cet homme était un criminel.» [...]

Je crois qu'il n'y a rien de plus beau que de faire l'école dans le même village pendant des années et des années lorsque soi-même on est un enfant du pays. Je connaissais tout le monde, les parents, les enfants, c'était un lien unique qui me liait à tous… Je connaissais les qualités et les défauts de chacun et je voyais le travail qui s'accomplissait, le changement qui peu à peu s'opérait dans les familles.
J'ai ainsi formé deux générations à Val-des-Prés. On dit souvent : «Nul n'est prophète en son pays», je ne sais! En tous les cas mes élèves ont aujourd'hui entre trente et cinquante ans et il me semble qu'ils ont quand même retenu un peu de mes leçons. Je crois que si je ne leur avais pas ouvert l'esprit, si j'avais été rétrograde, ils ne me l'auraient pas pardonné, enfin, il me semble. Le jour où, il n'y a pas si longtemps, je leur ai demandé de s'unir et d'agir pour défendre la vallée contre les bâtisseurs d'autoroute, ils ont tous répondu présent, tout comme au temps où ils étaient des gosses avec leur tablier, leurs galoches et leurs doigts tachés d'encre.

Emilie Carles,
Une soupe aux herbes sauvages,
Jean-Claude Simoën, 1977.

Souvenirs d'école

Douloureux ou attendris, les souvenirs d'école s'écrivent dans l'âge mûr. Lorsqu'ils échappent au prisme déformant de la nostalgie ou aux artifices de la démonstration, ils font surgir du passé, dans leur netteté originelle, quelques-unes des mille facettes de la condition scolaire. Parfois aussi l'archive brute, jette, sur tel aspect de l'institution, une lumière crue.

LA PETITE ECOLE.

Edme Restif de la Bretonne

Edme Restif, fils de Pierre, et d'Anne-Marguerite Simon, naquit le 16 novembre 1690 à Nitri, terre indépendante de l'abbaye de Molème dans le Tonnerrois. Son père avait une fortune honnête : c'était un homme charmant par la figure et d'une conversation amusante; on le recherchait de toutes parts, et, lorsqu'on ne pouvait l'avoir, on venait chez lui. Comme il avait la satisfaction de toujours plaire, il prit aisément le goût d'une vie dissipée. Ses affaires en souffrirent.

La première éducation extérieure, c'est-à-dire hors de la maison paternelle, fut donnée à Edmond par deux personnes également respectables, et telles que c'est le plus grand bonheur pour des paroisses quand il s'en trouve de pareilles : je veux dire le curé de Nitri et son maître d'école, le respectable Berthier, dont le nom, au bout de quatre-vingts ans, est encore en bénédiction dans le pays. Quelle glorieuse noblesse que celle-là ! Ce maître d'école était marié et chargé de beaucoup d'enfants : cependant, il s'acquittait de son devoir d'une manière si exacte, si généreuse, si belle, sa qualité de père de famille le rendait si respectable, que sa conduite serait la meilleure preuve que le célibat n'est pas une condition avantageuse dans les personnes chargées de l'instruction, [...].

C'est mon père qui parle. «Notre maître d'école ébauchait l'ouvrage du pasteur et l'achevait. Je m'explique. Il commençait à donner les premiers éléments aux enfants et faisait aux grands garçons et aux grandes filles des leçons familières sur la conduite ordinaire de la vie, entre mari et femme, frères et sœurs, etc. Comme il était marié et père d'une nombreuse famille, ses

conseils ne paraissaient que le fruit de son expérience; cependant, on a su, depuis, que tout était prémédité avec le pasteur. Deux fois l'an on avait des vacances : pour la récolte des grains, et pour les vendanges; il ne rentrait même que peu d'écoliers après les moissons; le grand nombre attendait la fin des gros ouvrages. Les jours fixés étaient le dernier juin pour la clôture, et le 20 octobre pour la rentrée : il n'y avait point de leçons ces deux jours-là; le bon vieillard consacrait le temps de la classe à des discours que je ne puis me rappeler sans attendrissement.

«Celui de juin roulait sur les torts qu'on pouvait faire au prochain dans la campagne durant les récoltes, et sur l'emploi des heures de relâche que les travaux pouvaient laisser. [...]

«Le discours de la rentrée avait deux parties : dans la première, le bon maître rappelait toutes les fautes que ses écoliers avaient commises durant l'été; il leur faisait nommément des reproches, ou plutôt des plaintes modérées, et les exhortait à réparer le mal qu'ils avaient causé. [...] La seconde partie de son discours n'était que des exhortations au bon emploi du temps : il faisait ensuite la distribution des places, mettant au banc le plus proche de lui les plus ignorants, et les plus savants au plus éloigné, parce qu'il disait que l'ignorant devait être à portée d'entendre ce qu'il enseignait aux autres. Aussi était-ce le premier banc qui récitait le dernier. Je vais vous dire en substance le dernier discours qu'il ait prononcé, la mort l'ayant enlevé trois mois après. [...]

«Chaque âge a ses devoirs. Le vieillard se prépare à bien mourir en couronnant sa vie par des actions religieuses; l'homme soutient sa famille, élève ses enfants, leur procure une bonne éducation, mais l'enfant n'a pour tout devoir que celui de travailler pour lui-même, de seconder les soins qu'on prend de lui. C'est votre cas, mes enfants. Voyons donc ce que nous allons faire cette année pour remplir cet objet. Pour que vous avanciez toujours, il faut examiner ce que chacun fait ; on passera à un autre banc dès qu'on possédera ce qui s'enseigne pour le sien, etc. [...]

Que pensez-vous que nous donnions par mois à ce bon maître ? Car nous n'avons jamais eu ici, comme on en a ailleurs, d'écoles gratuites. Trois sous par mois, quand on n'écrivait pas encore, et cinq sous pour les écrivains. Voilà quel était le prix de ses soins paternels, salaire qu'il ne demandait jamais, et que quelques pères ont eu l'inhumanité de ne jamais lui payer pour leurs enfants. La communauté y ajoutait quinze bichets de froment et quinze d'orge par année, ce qui pouvait alors valoir une somme de 70 à 72 livres. Ainsi, l'honnête homme avait à peine de quoi vivre, et jamais il ne se plaignait.»

Rétif de la Bretonne,
La Vie de mon père,
1779

Une ténébreuse affaire de coups et blessures chez les Frères ignorantins, à Rennes en 1769

Un élève roué de coups

Mardi 23 mai 1769 : Jean-François Hervé, cordonnier de son état, demande à deux maîtres en chirurgie de constater les excès commis en la personne de Mathieu Hervé, son fils, âgé de huit ans cinq mois, *élève à l'école des Frères des écoles chrétiennes de sa paroisse de Toussaints à*

Rennes. Mathieu a les jambes couvertes d'ecchymoses. L'examinant – *dit le rapport des deux hommes de l'art* – nous lui avons trouvé une contusion de la longueur de neuf à dix pouces et large de six, occupant [...] la face externe et postérieure de la cuisse droite; une autre de la largeur de deux pouces et large d'un, située sur la partie moyenne et antérieure de la cuisse, le tout côté droit; plus une autre contusion de la longueur d'un pied ou environ, et large de sept à huit pouces située sur la partie externe et postérieure de la cuisse, depuis la partie intérieure de la fesse, jusqu'à la partie postérieure et supérieure du jaret, deux autres de la longueur d'un pouce chacune, et larges de neuf à dix, sur la partie moyenne, postérieure et externe de la jambe, le tout côté gauche; [l'enfant] se plaint, de plus [...] de très violentes douleurs dans toutes les extrémités inférieures et de ne pouvoir rester assis ni couché sur le dos : lesquels accidents nous paraissent être survenus depuis vingt-quatre heures ou environ par instruments contondants comme coups de pied, de poing, de corde nouée ou autre de cette espèce [...]. Pour traitements et médicaments faits et à faire jusqu'à parfaite guérison, en cas qu'autre accident n'arrive, nous estimons qu'il appartient la somme de douze livres.

Enquête

Muni de ce procès-verbal, le cordonnier porte plainte auprès du Siège royal de police de la ville. Dès le lendemain, mercredi 24 mai, une enquête est ouverte : les officiers de police firent une information sommaire de différents enfants suivant les écoles de la charité, qui déposèrent que les frères dits ignorantins avaient maltraité ledit Hervé et maltraitaient très souvent les autres enfants qui allaient aux dites écoles *(pluriel qui désigne les classes, donc l'école). Le samedi suivant, 27, le Siège, après avoir entendu les deux chirurgiens confirmer leur procès-verbal, charge de l'affaire le juge Bouvard et ordonne une perquisition immédiate pour dresser procès-verbal* des bâtons, nerfs de bœuf et gros martinets, en cas qu'il s'en trouve, *et de déposer au greffe les pièces à conviction.*

Perquisition à l'école

Le juge, accompagné d'un commissaire de police, se présente à l'école des Frères, environ les quatre heures et quart; *il y trouve* les nommés Theodore Suro, natif de Parcé en Franche-Comté, tenant la grande école, (et le) frère Salomon Leclerc, natif de Boulogne. *Sommés de produire* les bâtons, nerfs de bœuf et martinets dont ils se servaient pour corriger ou maltraiter les enfants qui

venaient à leurs écoles, *les Frères remettent spontanément* un martinet à quatre branches, quatre nerfs de bœuf, (et) une férule de cuir noir, *mais nient posséder* d'autres instruments pour servir à corriger leurs écoliers, *sans accepter toutefois de signer leur déclaration. Attitude jugée suspecte par les enquêteurs qui donnent alors ordre à trois* gardes de ville *de procéder à la perquisition. Les gardes ont tôt fait de découvrir* six bâtons de différentes grosseurs, un martinet de cuir à deux branches, deux nerfs de bœuf, une autre férule de cuir, deux martinets dont un à dix branches, à gros nœuds, un autre à six branches aussi à gros nœuds (et) un petit peloton de ficelle cirée pour servir aux martinets! *Pris en défaut, les deux frères font valoir que ces instruments* étaient pour remplacer les premiers lors qu'ils seraient usés, u*ne réserve en quelque sorte, dont ils n'ont pas cru devoir révéler l'existence à la première réquisition... Moyennant quoi, ils* persistent dans leur *refus de signer cette nouvelle déclaration.*

Un témoin à charge

C'est alors que se produit un petit coup de théâtre. En présence des hommes de loi, un élève, Jean Beaumenay, âgé de six ans, *s'enhardit à témoigner, révélant que* mardi dernier 23 de ce mois au matin il fut frappé avec un martinet par le frère Suro, sur la fesse gauche qui est encore actuellement meurtrie et équimosée [sic] en longueur et largeur de quatre doigts, suivant que ledit enfant nous l'a fait voir en présence desdits Suro et Leclerc. Convié à s'expliquer, le frère Suro a répondu que le frère de la petite école nommé Leclerc l'avait voulu corriger pour faute commise dans ses leçons, que l'enfant ne s'étant pas soumis à la correction du frère Leclerc, [celui-ci] l'amena au frère Suro et que ce dernier lui donna sans le déculotter du martinet à quatre branches sur les cuisses et sur la fesse gauche. *Une nouvelle fois, les deux frères refusent de signer le procès-verbal, déclarant* ne le pouvoir et ne le vouloir faire sans avoir parlé à leur supérieur. *Le juge doit se contenter de transporter au greffe les pièces à conviction et d'y apposer les scellés. Le 31 mai, l'affaire suivant apparemment son cours, les deux chirurgiens consultés par le maître cordonnier, sont à nouveau convoqués pour confirmer solennellement leur procès-verbal initial. Ils persistent et signent.*

Etouffer l'affaire...

Quelques pièces, malheureusement anonymes, jointes au dossier, donnent à penser que l'affaire en est restée là. Dès la procédure engagée, les Frères, loin de désavouer des pratiques aussi contraires au «Traité des écoles chrétiennes» de Jean Baptiste de Lasalle, leur fondateur, font bloc autour de Théodore Suro et Salomon Leclerc. L'évêché et des notables amis des Frères se mobilisent. Une note (anonyme) indique qu'ils veulent absolument étouffer cette affaire, [qu'] ils ont mandé Hervé, père de l'enfant, pour se désister, [et qu'] on intimide aussi les officiers de police.

... en douceur

Un brouillon de lettre daté du 2 juin, dont on ignore le destinataire (un magistrat au parlement?), fait le point : j'ai l'honneur de vous envoyer copie d'une procédure faite par la police de Rennes à l'occasion d'une plainte faite par un nommé Hervé, cordonnier, dont l'enfant avait été maltraité par les ignorantins. Cette affaire, quoique de peu de conséquence, fait cependant remuer tous les partisans de ces frères parce qu'ils sont eux-mêmes des frères et des affiliés. Comme on cherche à l'étouffer vous n'en avez probablement pas eu connaissance ? [...] si cela s'était passé comme plusieurs des juges le désiraient, cela eut fait des arrêts définitifs parce que c'était à l'audience publique, ce qui eût été dur pour les parties interessées vu qu'elles ne trouvent point d'avocat qui veulent plaider au palais. [...] toutes ces différentes entreprises là consternent ici tout le monde parce qu'on n'oserait pas montrer tant d'humeur si l'on n'était sûr d'être soutenu. Je suis avec respect Monsieur votre très humble et très obéissant serviteur [...]. *A missive désabusée, réponse prudente :* J'ai reçu, Monsieur, la lettre que vous m'avez fait l'honneur de m'écrire le 2 de ce mois et ce qui y était joint; il serait certainement à souhaiter que l'on mit ordre à l'abus qui y est constaté; il est fâcheux que les circonstances fassent différer d'y remédier [...]. Il ne faut cependant ni s'impatienter ni se décourager. La nécessité du rétablissement du bon ordre est toujours la même, les bonnes intentions sont toujours les mêmes aussi, ainsi il faut nécessairement attendre avec patience et confiance, j'ai l'honneur d'être etc.

D'après un dossier manuscrit conservé au Musée national de l'Education, Rouen

NB. Les phrases en italique sont d'Yves Gaulupeau. Les autres sont des citations du dossier manuscrit, dont l'orthographe a été modernisée.

Lamartine chez les jésuites

[...] j'avais onze ans, et l'on parlait de me mettre au collège. Mais on ne pouvait se

Le Latin et le Grec.

décider à rien, parce qu'il n'existait encore aucune maison publique d'éducation, excepté quelques maisons particulières, plus ou moins famées, à Paris ou à Lyon, et un collège de Jésuites appelés les «Pères de la foi», que l'oncle de Bonaparte, le cardinal Fesch, protégeait, aux frontières de l'Italie, dans la petite ville de Belley en Bugey. Ma mère désirait vivement que la famille pût se décider à choisir pour moi ce collège, qui passait pour religieux et distingué; la plupart des grandes familles du Piémont et de la Lombardie, de Turin, d'Alexandrie, de Milan, y conduisaient leurs fils. [...]

Nous descendîmes lentement la colline et nous ne tardâmes pas à entrer dans le faubourg de Belley. Le premier grand édifice à droite était le collège des jésuites ou Pères de la foi. Une grande cour, pleine de bruits joyeux, le séparait de la grande route. «Voici tes futurs amis, me dit ma mère, demain je te présenterai à eux.» [...]

Tout était dans un ordre parfait. On entendait sortir des portes le murmure sourd que surmontait la voix du professeur et qui annonçait l'emploi,

studieux du temps. Les dortoirs étaient bien aérés, les salles à manger propres et sans luxe, les cours sablées, les jardins réservés aux pères ombragés et bien tenus. Un manège, une salle d'armes complétaient les moyens d'instruction. Rien ne paraissait coûter trop cher; le gain n'était évidemment pas l'objet de l'établissement, c'était l'homme lui-même : on ne s'informait pas de ce qu'il rendait, mais de ce qu'il devenait. C'était un collège des âmes. Ce caractère frappait à première vue; il prédisposait à l'estime, il était écrit sur le visage calme et réglé des professeurs et des frères servants qu'on rencontrait dans toute la maison. Cette maison n'avait rien de commun avec la maison commerciale de Lyon ou de Paris. J'en sortis, après cette première visite, fier de mon éducation future. [...]

Les Pères de la foi m'essayaient de classe en classe pour connaître ma vraie force; je montais, je descendais en peu de leçons; il n'était pas facile de me mesurer au juste. La raison était précoce, l'attention inégale; je décourageais les professeurs. A la fin, on me fixa en troisième, cette classe indécise où l'on peut être encore un enfant dans l'étude des langues et un homme de goût dans la rhétorique. [...]

Le père Béquet résumait en lui tout l'enseignement du collège. Comme il devint professeur de seconde et qu'il me suivit ainsi jusqu'à la rhétorique, mes compagnons et moi nous n'eûmes pas d'autre maître pendant trois ans, et les aimables vertus de son enseignement devinrent les grâces d'état de cette époque de notre vie. Il eût été un charmant Fénelon de l'éducation d'un prince; il resta un Fénelon de hasard, dans une école de montagne. Ses supérieurs le rappelèrent, je crois, en Belgique, quand l'ordre fut dispersé en France par Fouché, qui crut les Pères de la foi dangereux pour Bonaparte. Il se trompait bien. Loin de nous inspirer un esprit d'opposition au gouvernement et de goût pour le républicanisme, leurs leçons et leur exemple ne tendaient qu'à nous donner l'amour de la monarchie, de la religion, de l'empire.

Alphonse de Lamartine,
Mémoires de jeunesse, 1790-1815,
Tallandier, 1990

George Sand, première éducation à Nohant

C'est vers l'âge de cinq ans que j'appris à écrire. Ma mère me faisait faire de grandes pages de *bâtons* et de *jambages.* Mais, comme elle écrivait elle-même comme un chat, j'aurais barbouillé bien du papier avant de savoir signer mon nom, si je n'eusse pris le parti de chercher moi-même un moyen d'exprimer ma pensée par des signes quelconques. Je me sentais fort ennuyée de copier tous les jours un alphabet et de tracer des pleins et des déliés en caractères d'affiche. J'étais impatiente d'écrire des phrases, et, dans mes récréations, qui étaient longues comme on peut croire, je m'exerçais à écrire des lettres à Ursule, à Hippolyte et à ma mère. Mais je ne les montrais pas, dans la crainte qu'on ne me défendit de me *gâter la main* à cet exercice. Je vins bientôt à bout de me faire une orthographe à mon usage. Elle était très simplifiée et chargée d'hiéroglyphes. Ma grand-mère surprit une de ces lettres et la trouva très drôle. Elle prétendit que c'était merveille de voir comme j'avais réussi à exprimer mes petites idées avec ces moyens barbares, et elle conseilla à ma mère de me laisser griffonner seule tant que je voudrais. Elle disait avec raison qu'on perd beaucoup de temps à vouloir donner une belle écriture aux enfants, et que pendant ce temps-là ils ne songent point à quoi sert l'écriture. Je fus donc livrée à mes propres recherches, et quand les pages *de devoir* étaient finies, je revenais à mon système naturel. [...]

Ce fut en apprenant seule à écrire que je parvins à comprendre ce que je lisais. C'est ce travail qui me força à m'en rendre compte ; car j'avais su lire avant de pouvoir comprendre la plupart des mots et de saisir le sens des phrases. Chaque jour cette révélation agrandit son petit cadre, et j'en vins à pouvoir lire seule un conte de fées. [...]

Ce fut vers l'âge de sept ans que je commençai à subir le préceptorat de Deschartres. Je fus assez longtemps sans avoir à m'en plaindre, car, autant il était rude et brutal avec Hippolyte [son demi-frère], autant il fut calme et patient avec moi dans les premières années. [...]

J'apprenais la grammaire avec Deschartres et la musique avec ma grand-mère. Ma mère me faisait lire et écrire. On ne me parlait d'aucune religion, bien qu'on me fît lire l'histoire sainte. On me laissait libre de croire et de rejeter à ma guise les miracles de

l'Antiquité. [...]

[...] Deschartres, partageant le préjugé qui préside à l'éducation des hommes, s'imagina que, pour me perfectionner dans la connaissance de ma langue, il lui fallait m'enseigner le latin. J'apprenais très volontiers tout ce qu'on voulait, et j'avalai le rudiment avec résignation. Mais le français, le latin et le grec qu'on apprend aux enfants prennent trop de temps, soit qu'on les enseigne par de mauvais procédés, ou que ce soient les langues les plus difficiles du monde, ou encore que l'étude d'une langue quelconque soit ce qu'il y a de plus long et de plus aride pour les enfants ; toujours est-il qu'à moins de facultés toutes spéciales, on sort du collège sans savoir ni le latin ni le français, et le grec encore moins. Quant à moi, le temps que je perdis à ne pas apprendre le latin fit beaucoup de tort à celui que j'aurais pu employer à apprendre le français, dans cet âge où l'on apprend mieux que dans tout autre. [...]

On remarquera aussi que les femmes de vingt à trente ans qui ont reçu un peu d'éducation, écrivent le français généralement mieux que les hommes, ce qui tient, selon moi, à ce qu'elles n'ont pas perdu huit ou dix ans de leur vie à apprendre les langues mortes.
Tout cela est pour dire que j'ai toujours

trouvé déplorable le système adopté pour l'instruction des garçons, et je ne suis pas seule de cet avis. J'entends dire à tous les hommes qu'ils ont perdu leur temps et l'amour de l'étude au collège. Ceux qui y ont profité sont des exceptions. N'est-il donc pas possible d'établir un système où les intelligences ordinaires ne seraient pas sacrifiées aux besoins des intelligences d'élite ? [...]

Le maître d'écriture s'appelait M. Loubens. C'était un professeur à grandes prétentions et capable de gâter la meilleure main avec ses systèmes. Il tenait à la position du bras et du corps, comme si écrire était une mimique chorégraphique ; mais tout se tenait dans le genre d'éducation que ma grand-mère voulait nous donner. Il fallait de la *grâce* dans tout. M. Loubens avait donc inventé divers instruments de gêne pour forcer ses élèves à avoir la tête droite, le coude dégagé, trois doigts allongés sur la plume, et le petit doigt étendu sur le papier de manière à soutenir le *poids* de la main. Comme cette régularité de mouvement et cette tension des muscles sont ce qu'il y a de plus antipathique à l'adresse naturelle et à la souplesse des enfants, il avait inventé : 1° pour la tête, une sorte de couronne en baleine ; 2° pour le corps et les épaules, une ceinture qui se rattachait par derrière à la couronne, au moyen d'une sangle ; 3° pour le coude, une barre de bois qui se vissait à la table ; 4° pour l'index de la main droite, un anneau de laiton soudé à un plus petit anneau dans lequel on passait la plume ; 5° pour la position de la main et du petit doigt, une sorte de socle en buis avec des entailles et des roulettes. Joignez à tous ces ustensiles indispensables à l'étude de la calligraphie, selon M. Loubens, les

règles, le papier, les plumes et les crayons, toutes choses qui ne valaient rien si elles n'étaient fournies par le professeur, on verra que le professeur faisait un petit commerce qui le dédommageait un peu de la modicité du prix attribué généralement aux leçons d'écriture.

D'abord toutes ces inventions nous firent beaucoup rire, mais au bout de cinq minutes d'essai, nous reconnûmes que c'était un vrai supplice, que les doigts s'ankylosaient, que le bras se roidissait, et que le bandeau donnait la migraine. On ne voulut pas écouter nos plaintes, et nous ne fûmes débarrassées de M. Loubens que lorsqu'il eut réussi à nous rendre parfaitement illisibles. [...]

Ce fut donc par pure affection pour ma grand-mère que j'étudiai de mon mieux les choses qui m'ennuyaient, que j'appris par cœur des milliers de vers dont je ne comprenais pas les beautés; le latin, qui me paraissait insipide; la versification, qui était comme une camisole de force imposée à ma poétique naturelle; l'arithmétique, qui était si opposée à mon organisation que, pour faire une addition, j'avais littéralement des vertiges et des défaillances. Pour lui faire plaisir aussi, je m'enfonçai dans l'histoire; mais là, ma soumission reçut enfin sa récompense, l'histoire m'amusa prodigieusement.

George Sand,
Histoire de ma vie,
1854

Charles Gide au collège d'Uzès

Le collège n'était guère plus riche que l'école, comme personnel enseignant. Il n'y avait que trois professeurs, plus un soi-disant de sciences mais qui, comme je vais le dire, ne comptait guère. Chacun d'eux réunissait dans sa salle trois classes et conservait ainsi les mêmes élèves pendant trois ans. Aussi n'ai-je eu affaire qu'à deux professeurs au cours de mes six années de collège. [...]

Comme méthode d'enseignement, nous ne connaissions que la récitation et les devoirs écrits. Version ou thème tous les jours et composition une fois par semaine. Le professeur n'ajoutait presque jamais de commentaires ni d'explications à ces exercices. Il n'en aurait guère eu le temps d'ailleurs, car les récitations prenaient tout le temps de la classe. [...]

Le seul mode de punition usité était le pensum. A chaque classe, on entendait pleuvoir sur la tête des infortunés la sentence : cent lignes! cinq cents lignes! Et, bien que les délinquants eussent recours à divers artifices, notamment d'adapter trois becs de plume à la même tige, néanmoins une bonne partie de leur vie se trouvait vouée à cette besogne. Heureusement les bons élèves y échappaient et cela grâce à un système de justice distributive aujourd'hui oublié mais que je trouvais admirable.

Chaque fois, en effet, qu'un élève avait fait un bon devoir, il recevait un bon «d'exemption» dont la valeur était proportionnelle à ses mérites, c'est-à-dire, 100, 200, 500 lignes. On les serrait en portefeuille, on les capitalisait, et quand tombait le coup du pensum, pour le parer il suffisait de remettre un bon d'exemption pour un nombre de lignes équivalent.

[...], cet enseignement a laissé d'énormes lacunes. J'ai toujours déploré de n'avoir pas appris les mathématiques et je n'ai pu réparer que très tardivement et bien insuffisamment mon ignorance des langues étrangères. Mais le peu que nous avions appris nous le savions à fond. Je savais par cœur presque tout Virgile et César. J'écrivais le latin avec la même facilité que le français, non seulement en prose mais en vers [...].

Or, quand on sait bien le latin, on sait bien le français : je crois même, sans vouloir m'engager ici dans la grande querelle du jour entre anciens et

modernes que c'est la seule façon de le bien savoir et de l'écrire correctement. Pour le grec, bien que je fusse arrivé à le lire passablement à livre ouvert, je dois dire qu'il ne m'en est pas resté grand chose. En fait de littérature française, on ne nous faisait connaître qu'un très petit nombre d'auteurs, aucun du XIXe siècle, presque exclusivement ceux du grand siècle, Racine, Corneille, Molière, Bossuet, Fénelon, Lafontaine; mais c'est peu, quand on a passé quelques années dans cette auguste compagnie on trouve facilement accès à toute autre.

Charles Gide (1847-1932), archives privées

enseignement qui me procurerait à la fois les biens de la terre et les bénédictions du ciel. Cette double perspective n'avait rien de contradictoire, ni pour moi ni pour les miens. Une même expérience nous avait convaincus que les saints personnages étaient, en général, remarquablement nourris.

– Vous n'aurez rien à payer, déclara le Frère Larion. Le petit sera gardé, si vous voulez, depuis six heures du matin jusqu'à sept heures du soir. Mlle Crapotte, notre bienfaitrice, paie trois francs par mois pour chacun des élèves qui suivent les études.

NOS COLLÉGIENS EN PROMENADE

Toinou chez les frères «Quat'bras» à Ambert, en Auvergne

De l'autre côté du ruisseau de la Masse s'élevait le bâtiment neuf de l'école des Frères qui masquait à nos regards une partie de la ville. Là, on daigna s'occuper de moi. Quelques jours avant la rentrée d'octobre, le Frère Larion, le sous-directeur, nous rendit visite. Il me tapota le menton et vanta l'excellence d'un

Il développa une magnifique perspective : dix années d'enseignement, à raison de onze heures par jour, aboutissant au Brevet élémentaire, ce diplôme représentant lui-même le point de départ d'une vie en paletot dans les bureaux de la fabrique de chapelets ou derrière le comptoir des gros marchands de la ville.

Une telle affaire proposée à mes parents était déjà conclue. On parla de crédit et le Frère Larion accorda trois mois pour le paiement des fournitures scolaires. A la suite de quoi je fus livré à l'éducation des Frères.

Quelques années plus tard...

Une perspective imprévue s'ouvrit tout à coup. Le Frère François me fit l'honneur d'entretiens particuliers au cours desquels il m'apprit qu'il me tenait en haute estime, avant d'aboutir à cette conclusion :
– Mon enfant, le Bon Dieu vous a certainement doué d'une intelligence exceptionnelle et vous devrez rester persuadé que, s'il vous a fait la grâce de vous accorder un tel don, c'est pour que vous le mettiez à son service. Avec le Très Cher Frère Directeur, nous vous avons observé avec sollicitude. Nous avons décidé que de grandes facilités devaient vous être données. Si vous le voulez bien et si vous pouvez décider vos parents, notre congrégation vous admettra au Petit Noviciat après la rentrée prochaine. Au cas où ce serait nécessaire, monsieur le Curé interviendrait personnellement. Vous deviendriez alors des nôtres, mon cher enfant. Vous pourriez être, s'il plaît à Dieu, une des lumières futures dans le monde des lettres ou dans celui des sciences. Vous pourriez apprendre le latin, le grec. Et ainsi, devenir un savant comme notre cher Frère Héribault. Comme lui, vous auriez un laboratoire, et des élèves de vingt ans et plus vous écouteraient respectueusement. Vous n'auriez pas, ainsi que j'y suis obligé, à faire le gendarme avec des gamins qu'il faut calotter du matin au soir pour leur mettre quelque chose dans la tête. [...]
– Tu sais, mère, le Frère François m'a dit qu'après le certificat, il me ferait envoyer au Petit Noviciat pour que je me fasse Frère. Il a même dit que je deviendrais très savant et qu'on m'enverrait dans les grandes écoles après, et que je ferais des livres.
De stupéfaction, la pauvre femme faillit se laisser choir.
– Bon Jésus ! soupira-t-elle. Qu'est-ce que c'est que cette histoire ?
Puis elle s'emporta pour de bon.
– Et tu y as pas dit, au Frère, qu'on t'aura pas nourri comme ça pour que tu nous plantes là juste à l'âge où tu vas pouvoir gagner quèque sous ? Et qui c'est qui nous aidera à élever les deux autres ? Et les dettes qu'on a fait pour t'entretenir jusqu'à maintenant, qui c'est qui nous aidera à les payer, dis ? T'es pas devenu simple, non ? Tu diras ça à ton père et tu vas voir ce qu'il en pensera, lui

qui compte te placer d'ici deux ans.
Le Jean [son père] fut catégorique :
– Je vais aller le trouver, le Frère François, et aussi le Directeur, s'y faut, et j'y dirai que c'est pas des idées à te fourrer dans la tête. T'as de la chance d'être encore à l'école. Moi, à neuf ans, mon père m'a loué pour une campagne en Normandie, pour faire la coupe. Toi, t'es encore là à devenir grand, fort et feignant. Faut pas que tu te figures que tu vas t'en sauver pour aller t'user le cul sur un banc et après te promener pour te reposer d'avoir rien foutu.

Antoine Sylvère,
Toinou, le cri d'un enfant auvergnat,
Plon-Terre Humaine, 1980

L'école au fil des lois

Lois et règlements sont la face visible des politiques éducatives. Ils laissent dans l'ombre le jeu subtil de l'offre et de la demande d'école qui se joue entre l'Etat et la société civile. La décision politique se réduirait-elle donc à prendre acte des évolutions sociales? Naguère, on lui imputait au contraire tout le mérite de l'œuvre scolaire. Un excès chasse l'autre.

Déclaration royale du 13 décembre 1698 relative à l'instruction des «nouveaux convertis» suite à la révocation de l'édit de Nantes

[...] comme nous ne souhaitons rien avec plus d'ardeur que de voir dans son entière perfection un dessein que nous avons entrepris pour la gloire de Dieu, et pour le salut d'un si grand nombre de nos sujets, nous avons cru que nous devions y donner encore de nouveaux soins dans ces temps de la paix qu'il a plu à Dieu d'accorder à l'Europe, pour détromper nos dits sujets des illusions dont on a tâché de les abuser, et employer les moyens les plus efficaces pour les ramener solidement et véritablement dans le sein de l'église catholique, hors de laquelle ils ne peuvent espérer de salut. [...]
Article 9 – Voulons que l'on établisse autant qu'il sera possible des maîtres et des maîtresses dans toutes les paroisses où il n'y en a point, pour instruire tous les enfants, et nommément ceux dont les pères et les mères ont fait profession de la religion prétendue réformée, du cathéchisme et des prières qui sont nécessaires, pour les conduire à la messe tous les jours ouvriers, leur donner l'instruction dont ils ont besoin sur ce sujet, et pour avoir soin pendant le temps qu'ils iront aux dites écoles, qu'ils assistent à tous les services divins les dimanches et les fêtes; comme aussi pour apprendre à lire et même à écrire à ceux qui pourront en avoir besoin, [...].
Art. 10. – Enjoignons à tous les pères, mères, tuteurs et autres personnes qui sont chargées de l'éducation des enfants, et nommément de ceux dont les pères et mères ont fait profession de la dite religion prétendue réformée, de les envoyer aux dites écoles et aux catéchismes jusqu'à l'âge de 14 ans, si ce

n'est que ce soient des personnes de telle condition qu'elles puissent et qu'elles doivent les faire instruire chez eux par des précepteurs bien instruits de la religion, et de bonnes mœurs, ou les envoyer aux collèges. Enjoignons aux curés de veiller avec une attention particulière sur l'instruction desdits enfants dans leurs paroisses, même à l'égard de ceux qui n'iront pas aux dites écoles. Admonestons, et néanmoins enjoignons aux archevêques et évêques de s'en informer soigneusement : ordonnons aux pères et autres qui en ont l'éducation, et particulièrement aux personnes les plus considérables pour leur naissance et par leurs emplois, de leur représenter les enfants qu'ils ont chez eux, lorsqu'ils l'ordonneront dans le cours de leurs visites pour leur rendre compte de l'instruction qu'ils auront reçue touchant la religion; et à nos juges, procureurs et à ceux des sieurs qui ont la haute justice de faire toutes les diligences, réquisitions et ordonnances nécessaires pour l'exécution de notre volonté à cet égard, et de punir ceux qui seraient négligents d'y satisfaire ou qui auraient la témérité d'y contrevenir de quelque manière que ce puisse être, par condamnations d'amende ou plus grande peine, suivant l'exigence des cas.
Art. 11. – Enjoignons aux parents lorsqu'ils nomment des tuteurs ou des personnes pour avoir soin de l'éducation des enfants mineurs, de les choisir de bonne vie et mœurs, et qu'ils remplissent exactement tous les devoirs de la religion catholique.

Décret Bouquier du 19 décembre 1793, sur l'organisation de l'instruction publique

De l'enseignement en général

Art. premier – L'enseignement est libre.
Art. II – Il sera fait publiquement.
Art. III – Les citoyens & citoyennes qui voudront user de la liberté d'enseigner, seront tenus :

1° De déclarer à la municipalité ou section de la commune, qu'ils sont dans l'intention d'ouvrir une école;

2° De désigner l'espèce de science ou art qu'ils se proposent d'enseigner;

3° De produire un certificat de civisme & de bonnes mœurs, signé de la moitié des membres du conseil général de la commune ou de la section du lieu de leur résidence, & par deux membres au moins du comité de surveillance de la section ou du lieu de leur domicile, ou du lieu qui en est le plus voisin.

IV – Les citoyens & citoyennes qui se vouent à l'instruction ou à l'enseignement de quelque art ou science que ce soit, seront désignés sous le nom d'*instituteurs* ou d'*institutrices*. [...]

De la surveillance de l'enseignement

Article premier – Les instituteurs ou institutrices sont sous la surveillance immédiate de la municipalité ou section, des pères, mères, tuteurs ou curateurs, & sous la surveillance de tous les citoyens.
Art. II – Tout instituteur ou institutrice qui enseignerait dans son école des préceptes ou maximes contraires aux lois & à la morale républicaine, sera dénoncé par la surveillance, & puni selon la

gravité du délit.
Art. III – Tout instituteur ou institutrice qui outrage les mœurs publiques, est dénoncé par la surveillance, & traduit devant la police correctionnelle, ou tout autre tribunal compétent, pour y être jugé suivant la loi.

Du premier degré d'instruction

Article premier – La Convention nationale charge son comité d'instruction de lui présenter les livres élémentaires des connaissances absolument nécessaires pour former les citoyens, & déclare que les premiers de ces livres sont les Droits de l'homme, la Constitution, le Tableau des actions héroïques ou vertueuses.
Art. II – Les citoyens & citoyennes qui se borneront à enseigner à lire, à écrire, & les premières règles de l'arithmétique, seront tenus de se conformer, dans leurs enseignements, aux livres élémentaires adoptés & publiés à cet effet par la représentation nationale.
Art. III – Ils seront salariés par la République, à raison du nombre des élèves qui fréquenteront leurs écoles [...].
Art. VI – Les pères, mères, tuteurs ou curateurs seront tenus d'envoyer leurs enfants ou pupilles aux écoles du premier degré d'instruction [...].
Art. VIII – Les enfants ne seront point admis dans les écoles avant l'âge de six ans accomplis; ils y seront envoyés avant celui de huit. Leurs pères, mères, tuteurs ou curateurs ne pourront les retirer desdites écoles que lorsqu'ils les auront fréquentées au moins pendant trois années consécutives. [...]
Art. XIV – Les jeunes gens qui, au sortir des écoles du premier degré d'instruction, ne s'occuperont pas du travail de la terre, seront tenus d'apprendre une science, art ou métier utile à la société.

Décrets impériaux du 10 mai 1806 et du 17 mars 1808, relatifs à la création et à l'organisation d'une Université

Article 1. – Il sera formé, sous le nom d'Université impériale, un corps chargé exclusivement de l'enseignement et de l'éducation publique dans tout l'empire.
Art. 2 – Les membres du corps enseignant contracteront des obligations civiles spéciales et temporaires.
Art. 3 – L'organisation du corps enseignant sera présentée en forme de loi, au Corps législatif, à la session de 1810.

Organisation générale de l'université

Article 1 – L'enseignement public, dans tout l'Empire, est confié exclusivement à l'Université.
Art. 2 – Aucune école, aucun établissement quelconque d'instruction ne peut être formé hors de l'Université impériale, et sans l'autorisation de son chef.
Art. 3 – Nul ne peut ouvrir d'école, ni enseigner publiquement, sans être membre de l'Université impériale, et gradué par l'une de ses facultés. Néanmoins l'instruction dans les séminaires dépend des archevêques et évêques, chacun dans son diocèse. Ils en nomment et révoquent les directeurs et les professeurs. Ils sont seulement tenus de se conformer aux règlements que les séminaires auront approuvés.
Art. 4 – L'Université impériale sera composée d'autant d'académies qu'il y a de cours d'appel.
Art. 5 – Les écoles appartenant à chaque académie seront placées dans l'ordre suivant :
1° Les facultés, pour les sciences approfondies et la collation des grades;
2° Les lycées, pour les langues

anciennes, l'histoire, la rhétorique, la logique, les éléments des sciences mathématiques et physiques;

3° Les collèges, écoles secondaires communales, pour les éléments des langues anciennes et les premiers principes de l'histoire et des sciences;

4° Les institutions, écoles tenues par des instituteurs particuliers, où l'enseignement se rapproche de celui des collèges;

5° Les pensions, pensionnats appartenant à des maîtres particuliers, et consacrés à des études moins fortes que celles des institutions;

6° Les petites écoles, écoles primaires, où l'on apprend à lire, à écrire, et les premières notions de calcul.

Loi Guizot du 28 juin 1833 sur l'organisation de l'instruction primaire

Article 1 – L'instruction primaire est élémentaire ou supérieure. L'instruction primaire élémentaire comprend nécessairement l'instruction morale et religieuse, la lecture, l'écriture, les éléments de la langue française et du calcul, le système légal des poids et mesures.

L'instruction primaire supérieure comprend nécessairement, en outre, les éléments de la géométrie et ses applications usuelles, spécialement le dessin linéaire et l'arpentage, des notions des sciences physiques et de l'histoire naturelle applicables aux usages de la vie, le chant, les éléments de l'histoire et de la géographie, et surtout l'histoire et la géographie de la France. Selon les besoins et les ressources des localités, l'instruction primaire pourra recevoir les développements qui seront jugés convenables.

Art. 2 – Le vœu des pères de famille sera toujours consulté et suivi, en ce qui concerne la participation de leurs enfants à l'instruction religieuse.

Art. 3 – L'instruction primaire est privée ou publique.

Art. 4 – Tout individu âgé de dix-huit ans accomplis pourra exercer la profession d'instituteur primaire et diriger tout établissement quelconque d'instruction primaire, sans autres conditions que de présenter préalablement au maire de la commune où il voudra tenir école :

1° Un brevet de capacité obtenu, après examen, selon le degré de l'école qu'il veut établir;

2° Un certificat constatant que l'impétrant est digne, par sa moralité, de se livrer à l'enseignement. Ce certificat sera délivré, sur l'attestation de trois conseillers municipaux, par le maire de la commune ou de chacune des communes où il aura résidé depuis trois ans. [...]

Art. 8 – Les écoles primaires publiques sont celles qu'entretiennent, en tout ou en partie, les communes, les départements ou l'Etat.

Art. 9 – Toute commune est tenue, soit par elle-même, soit en se réunissant à une ou plusieurs communes voisines, d'entretenir au moins une école primaire élémentaire.

Dans le cas où les circonstances locales le permettraient, le Ministre de l'instruction publique pourra, après avoir entendu le conseil municipal, autoriser, à titre d'écoles communales, des écoles plus particulièrement affectées à l'un des cultes reconnus par l'Etat.

Art. 10 – Les communes chefs-lieux de départements, et celles dont la population excède six mille âmes, devront avoir, en outre, une école primaire supérieure.

Art. 11 – Tout département sera tenu d'entretenir une école normale primaire, soit par lui-même, soit en se réunissant à un ou plusieurs départements voisins. [...]

Art. 12 – Il sera fourni à tout instituteur communal :

1° Un local convenablement disposé, tant pour lui servir d'habitation que pour recevoir les élèves;

2° Un traitement fixe qui ne pourra être moindre de deux cents francs pour une école primaire élémentaire, et de quatre cents francs pour une école primaire supérieure.[...]

Art. 14 – En sus du traitement fixe, l'instituteur recevra une rétribution mensuelle dont le taux sera réglé par le conseil municipal[...].

Art. 18 – Il sera formé dans chaque arrondissement de sous-préfecture un comité spécialement chargé de surveiller et d'encourager l'instruction primaire. [...]

Art. 25 – Il y aura dans chaque département une ou plusieurs commissions d'instruction primaire chargées d'examiner tous les aspirants aux brevets de capacité, soit pour l'instruction primaire élémentaire, soit pour l'instruction primaire supérieure, et qui délivreront lesdits brevets sous l'autorité du Ministre. Ces commissions seront également chargées de faire les examens d'entrée et de sortie des élèves de l'Ecole Normale primaire. [...]

Loi Falloux du 15 mars 1850

Article 17 – La loi reconnaît deux espèces d'écoles primaires ou secondaires :

1° Les écoles fondées ou entretenues par les communes, les départements ou l'Etat, et qui prennent le nom d'écoles publiques;

2° Les écoles fondées ou entretenues par des particuliers ou des associations, et qui prennent le nom d'écoles libres. [...]

Art. 23 – L'enseignement primaire comprend :

L'instruction morale et religieuse; La lecture; L'écriture; Les éléments de la langue française; Le calcul et le système légal des poids et mesures.

Il peut comprendre, en outre :

L'arithmétique appliquée aux opérations pratiques; Les éléments de l'histoire et de la géographie; Des notions des sciences physiques et de l'histoire naturelle applicables aux usages de la vie; Des instructions élémentaires sur l'agriculture, l'industrie et l'hygiène;

L'arpentage, le nivellement, le dessin linéaire; Le chant et la gymnastique.
Art. 24 – L'enseignement primaire est donné gratuitement à tous les enfants dont les familles sont hors d'état de le payer. [...]
Art. 36 – Toute commune doit entretenir une ou plusieurs écoles primaires. [...]
Art. 37 – Toute commune doit fournir à l'instituteur un local convenable, tant pour son habitation que pour la tenue de l'école, le mobilier de classe, et un traitement.
Art. 38 – A dater du 1er janvier 1851, le traitement des instituteurs communaux se composera :

1° D'un traitement fixe, qui ne peut être inférieur à 200 francs;

2° Du produit de la rétribution scolaire;

3° D'un supplément accordé à tous ceux dont le traitement, joint au produit de la rétribution scolaire, n'atteint pas 600 francs. [...]

Art. 44 – Les autorités locales préposées à la surveillance et à la direction morale de l'enseignement primaire sont, pour chaque école, le maire, le curé, le pasteur ou le délégué du culte israélite, et dans les communes de deux mille âmes et au-dessus, un ou plusieurs habitants de la commune, délégués par le Conseil académique.

Les ministres des différents cultes sont spécialement chargés de surveiller l'enseignement religieux de l'école. L'entrée de l'école leur est toujours ouverte. Dans les communes où il existe des écoles mixtes, un ministre de chaque culte aura toujours l'entrée de l'école pour veiller à l'éducation religieuse des enfants de son culte.

Lorsqu'il y a pour chaque culte des écoles séparées, les enfants d'un culte ne doivent être admis dans l'école d'un autre culte que sur la volonté formellement exprimée par les parents. [...]
Art. 48 – L'enseignement primaire dans les écoles de filles comprend, outres les matières de l'enseignement primaire énoncées dans l'article 23, les travaux à l'aiguille.
Art. 49 – Les lettres d'obédience tiendront lieu de brevet de capacité aux institutrices appartenant à des congrégations religieuses vouées à l'enseignement et reconnues par l'Etat. L'examen des institutrices n'aura pas lieu publiquement. [...]
Art. 60 – Tout Français âgé de vingt-cinq ans au moins [...] peut former un établissement d'instruction secondaire, sous la condition de faire au recteur de l'Académie où il se propose de s'établir les déclarations prescrites par l'article 27, et, en outre, de déposer entre ses mains les pièces suivantes dont il sera donné récépissé :

– un certificat de stage constatant qu'il a rempli, pendant cinq ans au moins, les fonctions de professeur ou de surveillant dans un établissement secondaire public ou libre;

– soit le diplôme de bachelier, soit un brevet de capacité délivré par un jury d'examen dans la forme déterminée par l'article 62;

– le plan du local et l'indication de

l'objet de l'enseignement. […]
Art. 62. – Tous les ans, le ministre nomme, sur présentation du conseil académique, un jury chargé d'examiner les aspirants au brevet de capacité, ce jury est composé de sept membres, y compris le recteur qui le préside. Un ministre du culte professé par le candidat et pris dans le conseil académique, s'il n'y en a déjà un dans le jury, sera appelé avec voix délibérative. […]
Art. 63. – Aucun certificat d'études ne sera exigé des aspirants au diplôme de bachelier ou au brevet de capacité. […]
Art. 69. – Les établissements libres peuvent obtenir des communes, des départements et de l'Etat un local et une subvention, sans que cette subvention puisse excéder le dixième des dépenses annuelles de l'établissement. […]

Loi Ferry du 28 mars 1882 sur l'enseignement primaire obligatoire et laïc

Article premier – L'enseignement primaire comprend : l'instruction morale et civique; la lecture et l'écriture; la langue et les éléments de la littérature française; la géographie, particulièrement celle de la France; l'histoire, particulièrement celle de la France jusqu'à nos jours; quelques notions usuelles de droit et d'économie politique; les éléments des sciences naturelles, physiques et mathématiques, leurs applications à l'agriculture, à l'hygiène, aux arts industriels, travaux manuels et usage des outils des principaux métiers; les éléments du dessin, du modelage et de la musique; la gymnastique; pour les garçons, les exercices militaires; pour les filles, les travaux à l'aiguille.
Art. 2 – Les écoles primaires publiques vaqueront un jour par semaine, en outre du dimanche, afin de permettre aux parents de faire donner, s'ils le désirent, à leurs enfants, l'instruction religieuse, en dehors des édifices scolaires.

L'enseignement religieux est facultatif dans les écoles privées. [...]
Art. 4 – L'instruction primaire est obligatoire pour les enfants des deux sexes âgés de 6 ans révolus à 13 ans révolus; elle peut être donnée soit dans les établissements d'instruction primaire ou secondaire, soit dans les écoles publiques ou libres, soit dans les familles, par le père de famille lui-même, ou par toute personne qu'il aura choisie. [...]
Art. 6 – Il est institué un certificat d'études primaires; il est décerné après un examen public, auquel pourront se présenter les enfants dès l'âge de 11 ans. Ceux qui, à partir de cet âge, auront obtenu le certificat d'études primaires, seront dispensés du temps de scolarité obligatoire qui leur restait à passer.

Loi Edgar Faure du 12 novembre 1968 sur l'enseignement supérieur

Article 3 – Les universités sont des établissements publics à caractère scientifique et culturel, jouissant de la personnalité morale et de l'autonomie financière. Elles groupent organiquement des unités d'enseignement et de recherche pouvant éventuellement recevoir le statut d'établissement public à caractère scientifique et culturel et des services communs à ces unités. Elles assument l'ensemble des activités exercées par les universités et les facultés présentement en activité, ainsi que, sous réserve des dérogations qui pourront être prononcées par décret, par les instituts qui leur sont rattachés. [...]
Art. 11 – Les établissements publics à caractère scientifique et culturel sont administrés par un conseil élu et dirigés par un président élu par ce conseil. Les unités d'enseignement et de recherche sont administrées par un conseil élu et dirigées par un directeur élu par ce conseil. [...]
Art. 13 – Les conseils sont composés, dans un esprit de participation, par des enseignants, des chercheurs, des étudiants et par des membres du personnel non enseignant. Nul ne peut être élu dans plus d'un conseil d'université ni dans plus d'un conseil d'unité d'enseignement et de recherche. [...]

La représentation des enseignants exerçant les fonctions de professeur, maître de conférences, maître-assistant ou celles qui leur sont assimilées doit être au moins égale à celle des étudiants dans les organes mixtes, conseils et autres organismes où ils sont associés. La représentation des enseignants exerçant les fonctions de professeur ou maître de conférences y doit être au moins égale à 60 p. 100 de celle de l'ensemble des enseignants [...].
Art. 15 – Le président d'un établissement en assure la direction et le représente à l'égard des tiers. Il est élu pour cinq ans et n'est pas immédiatement rééligible. [...]
Art. 27 – Chaque établissement répartit, entre les unités d'enseignement et de recherche qu'il groupe, les établissements qui lui sont rattachés et ses services propres, les emplois figurant à la loi de finances qui lui sont affectés, sa dotation en crédits de fonctionnement et, le cas échéant, sa dotation en crédits d'équipement. [...]
Art. 35 – L'enseignement et la recherche impliquent l'objectivité du savoir et la tolérance des opinions. Ils sont incompatibles avec toute forme de propagande et doivent demeurer hors de toute emprise politique ou économique.

Loi Haby du 11 juillet 1975

Article premier – Tout enfant a droit à une formation scolaire qui, complétant l'action de sa famille, concourt à son éducation. [...]
Art. 3 – La formation primaire est donnée dans les écoles élémentaires suivant un programme unique réparti sur cinq niveaux successifs; la période initiale peut être organisée sur une durée variable.

La formation primaire assure l'acquisition des instruments fondamentaux de la connaissance : expression orale et écrite, lecture, calcul; elle suscite le développement de l'intelligence, de la sensibilité artistique, des aptitudes manuelles, physiques et sportives. Elle offre une initiation aux arts plastiques et musicaux. Elle assure conjointement avec la famille l'éducation morale et l'éducation civique.

Art. 4 – Tous les enfants reçoivent dans les collèges une formation secondaire. Celle-ci succède sans discontinuité à la formation primaire en vue de donner aux élèves une culture accordée à la société de leur temps. Elle repose sur un équilibre des disciplines intellectuelles, artistiques, manuelles, physiques et sportives et permet de révéler les aptitudes et les goûts. Elle constitue le support de formations générales ou professionnelles ultérieures, que celles-ci la suivent immédiatement ou qu'elles soient données dans le cadre de l'éducation permanente.

Les collèges dispensent un enseignement commun, réparti sur quatre niveaux successifs. Les deux derniers peuvent comporter aussi des enseignements complémentaires dont certains préparent à une formation professionnelle; ces derniers peuvent comporter des stages contrôlés par l'Etat et accomplis auprès de professionnels agréés. La scolarité correspondant à ces deux niveaux et comportant obligatoirement l'enseignement commun peut être accomplie dans des classes préparatoires rattachées à un établissement de formation professionnelle. [...]

Art. 13 – Dans chaque école, collège ou lycée, les personnels, les parents d'élèves et les élèves forment une communauté scolaire. Chacun doit contribuer à son bon fonctionnement dans le respect des personnes et des opinions. [...]

Loi Jospin du 10 juillet 1989 d'orientation sur l'éducation

Article 1 – L'éducation est la première priorité nationale. Le service public de l'éducation est conçu et organisé en fonction des élèves et des étudiants. Il contribue à l'égalité des chances. [...]

Art. 6 – Un Conseil national des programmes donne des avis et adresse des propositions au ministre de l'Education nationale sur la conception générale des enseignements, les grands objectifs à atteindre, l'adéquation des programmes et des champs disciplinaires à ces objectifs et leur adaptation au développement des connaissances. [...]

Art. 14 – Les enseignants sont responsables de l'ensemble des activités scolaires des élèves. Ils travaillent au sein d'équipes pédagogiques; celles-ci sont constituées des enseignants ayant en charge les mêmes classes ou groupes d'élèves ou exerçant dans le même champ disciplinaire et des personnels spécialisés, notamment les psychologues scolaires dans les écoles. Les personnels d'éducation y sont associés.

Les enseignants apportent une aide au travail personnel des élèves et en assurent le suivi. Ils procèdent à leur évaluation. Ils les conseillent dans le choix de leur projet d'orientation en collaboration avec les personnels d'éducation et d'orientation. Ils participent aux actions de formation continue des adultes. Leur formation les prépare à l'ensemble de ces missions.

Art. 15 – Les personnels administratifs, techniques, ouvriers, sociaux, de santé et de service sont membres de la communauté éducative. Ils concourent directement aux missions du service public de l'éducation et contribuent à assurer le fonctionnement des établissements et des services de l'Education nationale.

Ils contribuent à la qualité de l'accueil et du cadre de vie et assurent la sécurité, le service de restauration, la protection sanitaire et sociale et, dans les internats, l'hébergement des élèves.

Art. 16 – Un plan de recrutement des personnels est publié, chaque année, par

le ministre de l'Education nationale. Il couvre une période de cinq ans et est révisable annuellement.
Art. 17 – Sera créé, dans chaque académie, à partir du 1er septembre 1990, un institut universitaire de formation des maîtres, rattaché à une ou plusieurs universités de l'académie pour garantir la responsabilité institutionnelle de ces établissements d'enseignement supérieur par l'intervention des personnes et la mise en œuvre des moyens qui leur sont affectés. Il peut être prévu, dans des conditions et des limites déterminées par décret en Conseil d'Etat, la création de plusieurs instituts universitaires de formation des maîtres dans certaines académies ou le rattachement à des établissements publics à caractère scientifique, culturel et professionnel autres que des universités.

Les instituts universitaires de formation des maîtres sont des établissements publics d'enseignement supérieur. Etablissements publics à caractère administratif, ils sont placés sous la tutelle du ministre de l'Education nationale et organisés selon des règles fixées par décret en Conseil d'Etat. Le contrôle financier s'exerce *a posteriori*.

Dans le cadre des orientations définies par l'Etat, ces instituts conduisent les actions de formation professionnelle initiale des personnels enseignants. Celles-ci comprennent des parties communes à l'ensemble des corps et des parties spécifiques en fonction des disciplines et des niveaux d'enseignement.

Les instituts universitaires de formation des maîtres participent à la formation continue des personnels enseignants et à la recherche en éducation. Ils organisent des formations de préparation professionnelle en faveur des étudiants.
Art. 18 – Les écoles, les collèges, les lycées d'enseignement général et technologique et les lycées professionnels élaborent un projet d'établissement. Celui-ci définit les modalités particulières de mise en œuvre des objectifs et des programmes nationaux. Il fait l'objet d'une évaluation. Il précise les activités scolaires et péri-scolaires prévues à cette fin. [...].

Controverse

En France, où ce qui touche à l'école touche à l'essentiel, de vigoureuses polémiques jalonnent l'histoire de l'institution scolaire. Les débats actuels ne le cèdent en rien à leurs devanciers, ni par leur acuité, ni par l'importance des questions qu'ils soulèvent. Exemple parmi d'autres, la controverse suscitée en 1984 par l'ouvrage de Jean-Claude Milner, professeur de linguistique de la Sorbonne, «De l'Ecole».

«Une machine règne sur l'école publique en France»

Une machine règne sur l'école publique en France ; elle régit tous les types d'enseignements, primaire, secondaire et supérieur ; elle est indépendante des gouvernements et des régimes ; elle est immuable : les ministres successifs qui ont cru, par quelque réforme, marquer de leur patronyme sa transformation n'ont jamais été que ses agents, conscients ou inconscients, en tout cas, aisément remplaçables. Qu'importe alors que la plupart d'entre eux aient été des esprits étroits, peu cultivés et paresseux. Qu'importe que la droite ait succédé à la gauche, puis la gauche à la droite : la partie était ailleurs.

La machine est composée de trois pièces qui du reste fonctionnent rarement ensemble : il arrive le plus souvent qu'elles se combinent à deux, laissant la troisième à l'écart. Cependant, la combinaison par deux changeant souvent de nature, toutes les trois tour à tour interviennent et jouent pleinement

leur rôle. Le première pièce est constituée par l'ensemble des gestionnaires. Ce sont des fonctionnaires de gouvernement, tenus par l'administration des Finances, qu'ils en soient eux-mêmes membres ou qu'ils soient simplement obéissants. Leur axiome est connu et simple : *il convient de réduire les coûts.* [...]

[...], si les enseignants sont très savants, ils tendront à coûter cher. A l'inverse, plus ils seront ignorants, meilleur marché ils seront. Remplacer le savoir par le devoir d'ignorance, ou, si ce mouvement paraît trop violent, le remplacer par une qualité non mesurable – dévouement, abnégation, aptitude à l'animation, chaleur affective, etc. –, voilà de bons bénéfices. [...]

Réduits désormais au rang d'employés municipaux ou régionaux, à peu près comparables à des curés de paroisse, les enseignants pèseront peu en face des diverses puissances établies, publiques ou privées. Leur légitimité sera ce qu'en fera leur employeur : quelles que soient d'ailleurs ses qualités affectives, l'enseignant ignorant n'aura de titre à enseigner que le bon vouloir de l'autorité du lieu et du moment. Et les gestionnaires escomptent bien demeurer seuls, en dernier ressort, à incarner cette autorité. [...]

La pièce seconde est une corporation, aussi fermée, aussi jalouse de ses prérogatives, aussi arrogante à l'égard d'autrui, aussi terrible envers ceux qui la combattent que les corporations médiévales. Il n'est pas aisé de la nommer, surtout si l'on ne veut blesser personne. [...] Le S.N.I. [Syndicat national des instituteurs] en est la forme visible et audible ; il prétend agir et parler au nom de ceux qu'il regroupe. Il ne fait en vérité que susciter en eux et verbaliser leurs passions basses : leur honte de ne plus être ce qu'ils ont été et qu'ils pourraient et devraient être toujours ; leur ressentiment à l'égard de ceux qui, dans leurs propres rangs et dans les autres corps d'enseignement, parviennent encore, tant bien que mal, à être ce qu'ils doivent être. [...]

Son entreprise n'est pas neuve. Depuis bien des années, le discours se tient, et se tient au nom des instituteurs ; il se résume à ceci : la Corporation doit avoir le monopole de tout acte d'enseignement. A cela, deux obstacles : le premier est dû à la stratification verticale de l'école en enseignements primaire, secondaire et supérieur ; le second n'est autre que la division horizontale en école privée et école publique. Voilà ce qui doit disparaître, de telle façon qu'il n'y ait plus qu'une seule école, réservée de part en part à la Corporation. [...]

Il semblerait pourtant que le soupçon parfois s'insinue : et si le discours de la Corporation était trop pauvre, dans une conjoncture devenue plus complexe ? [...] C'est là que la troisième pièce révèle son utilité. N'intervenant dans la machine que depuis 1945, elle est parée de tous les ornements de la jeunesse ; s'étant infiltrée dans la plupart des centres de décision, elle fait état de son dévouement à la chose publique ; en retour, n'ayant, malgré sa passion de la gestion, jamais su faire fonctionner la moindre institution, elle peut se vanter de la pureté propre aux inefficaces. Il s'agit, bien entendu, des chrétiens démocrates.

Il faut le savoir, en effet : depuis 1945, *tous* les thèmes de *toutes* les réformes de *tous* les niveaux d'enseignement sont d'origine chrétienne. La Corporation n'y a, de fait, rien articulé, sinon sa volonté de monopole. Des chrétiens, et non pas d'elle, viennent ces locutions et ces vœux inimitables, où le loyal sans cesse prend un air déloyal : dévaluation de l'institution au bénéfice de la communauté; dévaluation des savoirs au bénéfice du dévouement; dévaluation de l'instruction au bénéfice de l'éducation; dévaluation du cognitif au bénéfice de l'affectif; intrusion dans les âmes et ouverture au monde, etc. [...]

L'école pourrait tout simplement se proposer pour fin d'instruire; ce serait là une tâche parfaitement définissable, qui demanderait seulement qu'on s'accordât sur des contenus et des critères. Quels sont les contenus souhaités par une société équitable et éclairée, quels sont les critères recevables distinguant le savoir de l'ignorance, ce sont des questions non triviales, mais il est possible de les traiter par des voies rationnelles. Or, voilà, aux yeux des cœurs pieux, le plus mauvais point de vue : justement parce que l'entreprise serait rationnelle et accessible aux forces humaines, elle se révélerait manquer le point idéal – nécessairement irrationnel et inaccessible. Aussi l'instruction doit-elle être blâmée : on lui préférera, à tout coup, *l'éducation*.

Or, il serait temps de se demander ce que c'est que l'éducation. Manifestement, il s'agit là d'une de ces notions idéales auxquelles on ne peut donner de contenu qu'en passant d'emblée à la limite ultime. L'éducation, c'est le processus par lequel un sujet est censé s'accomplir entièrement : une perfection absolue dans tous les domaines importants. [...]

Ayant mesuré l'institution à cette aune, [les réformateurs] peuvent librement la condamner dans sa forme présente et à venir; ils peuvent aisément donner mauvaise conscience à ceux qui en font partie. Et sachant que l'éducation, en tant qu'impossible, ne peut être l'affaire de personne, il leur est facile de soutenir qu'elle doit être l'affaire de tous : ce qui, une fois substituée la communauté à l'institution, permet de former un maître-mot : *communauté éducative*. Là, comme dans les agapes des premiers chrétiens, toutes les fonctions s'échangent et s'équivalent : tous sont éducateurs, les élèves, les parents, les maîtres, le personnel administratif, les agents divers. Tous s'éduquent eux-mêmes et en même temps autrui : il ne faut pas dire que le maître ait une fonction propre; il faut bien plutôt considérer que, comme l'élève, il a sa propre éducation à poursuivre. [...]

Il est parfaitement possible de croire à la légitimité de droit et à la possibilité de fait d'un enseignement sans pour autant croire à la pédagogie. Toute école suppose que des savoirs explicites soient transmis. Soit. De là ne suit pas qu'il existe des techniques générales, applicables à tous, à tout et en toutes circonstances, de la transmission; de là ne suit pas non plus qu'il existe une théorie générale de la transmission. La conséquence logique est si peu nécessaire qu'on a pu soutenir la conséquence inverse : il est des gens pour affirmer que la croyance en une théorie générale de la transmission et l'intérêt exclusif accordé aux techniques pédagogiques sont le plus sûr moyen d'empêcher toute transmission effective. Sur cette thèse implicite s'est au reste fondé l'enseignement français durant une longue période et ce ne fut pas celle de sa plus grande inefficacité. [...]

Nous mettons au défi ceux qui ont si souvent sur les lèvres le prédicat *pédagogique* (qu'il soit appliqué à l'acte ou à l'innovation ou aux technologies) de citer *une* proposition assurée, *un* argument incontestable, *un* texte rigoureux ou simplement intéressant ou, plus simplement encore, bien écrit : il n'y en a pas. Au regard des exigences que l'on pourrait raisonnablement formuler en termes de cohérence de raisonnement, de vraisemblance des hypothèses, d'exactitude des données, les textes pédagogiques sont généralement insuffisants. En bref, si la pédagogie théorique était une grande chose, cela, semble-t-il, se saurait davantage. [...]

Il est profondément vrai que, du point de vue de son extension, l'école est tout autre qu'elle n'a été. Non seulement l'enseignement primaire, mais le secondaire et bientôt le supérieur sont ouverts à tous, au moins en droit, et, il faut l'espérer, en fait, De là un accroissement quantitatif incomparable, mais surtout une modification qualitative des sujets saisis par l'école : les couches sociales ne sont plus les mêmes, ni les demandes affichées, ni les critères de ce qui est recevable ou irrecevable dans les conduites ou les langages, ni les héritages culturels, etc. Un nom, pour l'opinion, résume la rupture : les immigrés. [...]

L'école primaire est ouverte aux peuples depuis longtemps : croit-on vraiment que les instituteurs de la zone, dans l'entre-deux-guerres, n'aient pas eu eux aussi à se colleter avec des enfants dont les parents ne parlaient pas le français, avec le prestige de la délinquance, avec le chômage ? Ils n'en tiraient pas généralement la conclusion que l'école doit disparaître et renoncer aux savoirs. [...]

Celui qui, de plus, se déclarant fort ami du peuple, vouera aux gémonies les savoirs abstraits et compliqués des bourgeois, pour vanter les savoirs concrets et simples que les peuples doivent aimer par-dessus tout, celui-là dans la réalité dira ceci : les peuples n'ont droit qu'à ce qui sert à la production. Or, la seule opinion digne, en la matière, tient que les peuples ont droit à tous les savoirs, sans excepter les savoirs abstraits ou improductifs; qu'aucun d'entre ceux-ci ne leur est naturellement étranger, ni inutile, ni ennemi. [...]

On ne saurait mettre en doute les merveilleuses intentions des réformateurs : comme tout le monde, ils constatent la mutation qui a ouvert, plus qu'avant, l'institution scolaire à des groupes sociaux qui en étaient naguère exclus. Comme d'autres, ils souhaitent en gérer les suites matérielles. Comme beaucoup, ils s'adressent, à cette fin, au langage politique et raisonnent en termes de démocratie et de démocratisation. Mais la difficulté se révèle immédiatement : ils ne s'autorisent, pour décrire la mutation elle-même, que du langage sociologique et, du même coup, les mots de démocratie et de démocratisation sont retraduits suivant les règles exclusives de ce dernier langage. Dès lors, au lieu de raisonner sur une égalité de droits – ce qui est le lieu de la question politique de la démocratie – , ils raisonnent sur une égalité statistique. [...]

[...] la tradition de Jules Ferry [...] fonde, par des raisons à la fois politiques et théoriques, une conviction encore assez largement répandue : en France, les enseignants doivent savoir quelque chose. Il est de plus admis qu'ils doivent, comme sujets, s'intéresser à ce qu'ils savent. Voilà ce qui les qualifie comme intellectuels : dans la plupart des cas, en effet, cet intérêt qu'on attend d'eux est indistinguable de l'investissement passionné dans un objet de pensée qui caractérise les intellectuels. La conséquence pratique est du reste claire : il n'est pas tenu, traditionnellement, pour impropre que les enseignants se tiennent informés de ce qui se passe dans leur discipline ; il n'est même pas jugé scandaleux qu'ils se livrent à une recherche personnelle, indépendamment de quelque visée pédagogique que ce soit. D'autre part, il arrive que, au moment de décider s'il deviendra ou non enseignant, un sujet se décide en raison de son intérêt pour une discipline, et non pas en raison d'un amour des enfants ou d'un dévouement à l'humanité ou d'un besoin de chaleur affective, etc. [...]

Nous poserons en thèse que, parmi les facultés de l'homme, il convient de compter la faculté de savoir. L'institution qui lui donne lieu de s'exercer est l'école. Une loi juste sur l'école a pour seule fin de régler l'exercice de cette faculté. N'y ayant aucune limite qui s'autorise des droits d'autrui, chacun est en droit d'y atteindre son point d'excellence : en donner les moyens effectifs, telle est la seule utilité qu'on doive requérir de l'institution. Toute loi qui, organisant l'école, bafoue le droit à l'excellence et borne – en fait et au principe – l'exercice de la faculté de savoir est donc sans fondement politique : elle est, eût dit Robespierre, essentiellement tyranique et injuste. Or, *toutes* les lois projetées ou votées récemment touchant l'école et l'université ont ce caractère. Dans les collèges, il est enjoint aux élèves qui veulent en savoir plus de s'en tenir aux termes du contrat éducatif propre à l'établissement. Il est enjoint aux enseignants de prendre pour modèle ceux d'entre eux qui en savent le moins. Dans les universités, il est enjoint aux professeurs de s'en tenir, quant à ce qu'ils peuvent enseigner, et aux étudiants, quant à ce qu'ils peuvent apprendre, aux nécessités du monde économique : ce qu'on appelle pompeusement «professionnalisation» n'étant rien d'autre qu'une interdiction adressée à tous de s'intéresser à autre chose qu'à ce que pourrait souhaiter un employeur possible (lequel, bien souvent, n'est malheureusement qu'un employeur fictif).

Cette position peut invoquer toutes les raisons du monde : nécessités économiques, modernisation,

changement, égalisation des chances, etc. Elle est radicalement injuste. Un cynique pourrait néanmoins soutenir que, injuste en droit, une telle limitation peut se révéler utile en fait. Après tout, une politique réaliste n'est-elle pas de l'ordre de l'utile ? Or, il faut être clair : le principe de l'école, le seul qui lui donne un sens, est le suivant : aucune ignorance n'est utile.

Jean-Claude Milner,
De l'école,
Le Seuil, 1984

Réponses à Jean-Claude Milner :

Dominique Julia,
directeur de recherche au C.N.R.S.

Quel Sedan, quel Bazaine nous valent aujourd'hui cette philippique d'un

professeur de linguistique à la Sorbonne ? Hélas, nous avoue-t-il, l'ennemi n'est plus extérieur mais intérieur à la citadelle des savoirs; une sinistre bande des trois mène le complot : gestionnaires du ministère acharnés à réduire les coûts et soucieux de recruter des enseignants moins savants, voire ignorants, syndicat national des instituteurs qui, n'échappant pas aux «passions basses» prétend être la seule corporation à savoir enseigner et veut conquérir la maîtrise absolue de l'enseignement secondaire, chrétiens-démocrates du S.G.E.N. dont les âmes pieuses instillent dans l'institution laïque le venin de traditions religieuses dévastatrices des savoirs. S'il ne s'agissait que d'abattre des comploteurs, la chose serait aisée et de bons exemples ont été ailleurs donnés sur la manière de les traiter. Mais c'est une véritable «machine» à trois pièces qui règne en fait sur l'école publique française : «indépendante des gouvernements et des régimes, elle est immuable».

Une passion, élevée, habite Jean-Claude Milner, celle du savoir. Nul ne la lui contestera. Nul ne lui conteste non plus l'axiome premier du livre, selon lequel l'école est instituée pour transmettre des savoirs. On peut simplement se demander si l'agacement qu'il éprouve parce qu'«on ne parle jamais de l'école qu'en termes de réforme» ne naît pas tout simplement de l'écart constaté entre l'enseignement qu'il a lui-même reçu dans un établissement parisien (dont les petites classes avaient encore en 1950 des professeurs agrégés) et celui qui est délivré en 1984 par les collèges. Il ne servirait à rien de lui rétorquer qu'un enseignement secondaire qui, en une génération, de 1950 à 1980, quintuple presque ses effectifs et un enseignement supérieur qui les sextuple n'ont sans doute pas seulement changé d'échelle mais de nature. [...]

Il n'est pas sûr que le désir de savoir soit aussi unanimement partagé dans les C.E.S. qu'au sein des séminaires de linguistique. Si l'inégalité fantasmée entre le maître supposé savoir et l'élève qui désire savoir est, aux yeux de Jean-Claude Milner, le «moteur efficace du dispositif», que faire des élèves qui dans une école devenue obligatoire jusqu'à seize ans, et bientôt jusqu'à dix-huit, n'éprouvent aucun désir de savoir? L'expérience quotidienne des professeurs de collèges ou de lycées leur donne à voir des élèves qui somnolent, lisent des romans policiers, ne se sentent pas tenus d'écouter ou de prendre des notes. [...]

En fait, [ce] discours intemporel n'est rien d'autre que la défense et l'illustration d'une configuration historique strictement localisée dans le temps, celle du professeur-intellectuel. [...] on est en droit de se demander si le malaise des professeurs agrégés du secondaire, décrit par Jean-Claude Milner, ne naît pas d'un malentendu : les jeunes gens qui continuent de s'engager dans la carrière professorale ne continuent-ils pas de véhiculer une image très archaïque de la fonction qui les attend, celle justement de ce fameux âge d'or que fut la IIIe République? La forme actuelle des concours de recrutement ne peut que les y encourager. Il n'est pas indifférent que notre pamphlétaire défende avec tant d'âpreté la pratique la plus individualiste du métier (celle qui est aussi la plus économe de temps) : seule la parole du cours magistral trouve grâce à ses yeux cependant que les équipes pédagogiques et l'interdisciplinarité ont droit à ses sarcasmes. Mais le tutorat prévu par le rapport Legrand contre lequel Milner exerce son ironie ne redécouvre-t-il pas simplement les fonctions de maître d'étude et de répétiteur qu'assuraient autrefois les préfets de pension ou, dans les familles nanties, les maîtres particuliers? L'enseignement secondaire s'est démocratisé, les pensionnats ont disparu et les familles n'ont pas les disponibilités culturelles pour suivre attentivement les études de leurs enfants. Qui assurera ces fonctions, sinon les professeurs?

Anne-Marie Chartier, professeur à l'I.U.F.M. de Versailles

La pédagogie est l'art de créer les circonstances favorables pour que le désir de savoir d'un élève puisse devenir un apprentissage réussi. Même lorsqu'une instruction s'effectue dans la violence et les larmes – ce peut être quelquefois une circonstance «favorable» – et, aboutit au savoir, c'est que l'apprenti a consenti à l'exercice, sur lui, de cette violence. Mais personne ne peut apprendre quoi que ce soit à celui qui ne le veut pas. Chacun sait cela.

Quand l'enseignement est obligatoire, quelle place le désir d'apprendre peut-il encore recevoir? Comment pourrait-on désirer comme une valeur ce qui est obligé? [...] Comment l'école se débrouille-t-elle avec ce paradoxe, ce «double nœud» qui rend en droit impossible ce qui, en fait, s'effectue quotidiennement?

C'est d'abord dans l'espace de la classe, devant les élèves, que l'enseignant instaure les pratiques et les discours qui contournent cette contradiction en droit irréductible. Deux manœuvres le permettent. La première conduit à choisir parmi les savoirs, ou les modèles par lesquels on les représente, ceux qui font sens aux yeux des enfants ou des adolescents. Est-ce manque d'effort? C'est du côté de l'«utile» qu'on en vient le plus souvent à juger qu'il y a du sens pour celui qui ne sait pas encore. C'est en tout cas ce traitement du savoir en termes de besoin, de valeur d'usage, d'utilité sociale, qui traverse toute la théorie des savoirs «instrumentaux» (lire, écrire) dont on imagine qu'ils sont perçus comme des outils de communication et d'adaptation par ceux à qui on souhaite les apprendre. Le cas échéant, «avoir un diplôme» peut être désirable de la même manière.

Une deuxième façon de contourner la contradiction entre l'obligation et le désir consiste à instaurer le savoir comme un possible toujours incertain. Le discours moralisant vient ainsi s'adjoindre au discours utilitariste pour faire du savoir un bien précieux, difficile à obtenir (il se paye cher en efforts et en sueur) mais indispensable. L'école populaire a pu vivre fort longtemps dans cette sérénité ascétique de la morale de l'effort. Puisque l'on sait que tout le monde désire savoir, mais que personne n'a envie d'apprendre, en attendant la gratification terminale, il suffit de travailler. C'est peut-être là la seule idée que l'on puisse se faire de l'instruction à l'école primaire, voire au-delà. [...]

Les innovations pédagogiques remplissent ici une fonction essentielle, même si elles pèsent peu sur le système en termes d'efficacité objective. L'innovation, en effet, ne cesse de désigner un manque, un raté de la scolarisation. Et contrairement aux discussions de cours de récréation qui se contentent de déplorer globalement ces dysfonctionnements, elle s'applique simultanément à créer la conscience de ce manque et à proposer une stratégie pour le combler. Tant qu'elle échoue à y parvenir, elle invente, produit, analyse, parfois écrit, souvent milite pour un projet. Cela peut aller de l'idée minuscule, née dans une école, à l'expérimentation ministérielle à gros budget. Ce qui distingue l'innovation de la simple décision pédagogique de changer ce qui se fait, c'est que la mise en place de ces nouvelles pratiques ne s'instaure pas sans un travail d'élucidation intellectuelle. Ce peut être l'introduction d'un nouveau contenu (les mathématiques à la place du calcul), de nouvelles techniques (l'audiovisuel, l'informatique), d'une nouvelle méthode de travail (travail par contrat, projet pédagogique), d'une nouvelle structure institutionnelle (création des zones d'éducation prioritaire). Dès que l'innovation parvient à ses fins, et fait de l'exception (l'expérience pédagogique exemplaire) la règle, le désirable devient obligatoire et les innovations se voient transformées de repas de fête en menus de cantine produisant des indigestions ou des anorexies imprévues.

Jean Hébrard,
chargé de recherche à l'I.N.R.P.

Certes, il est important que l'école instruise. Et il y a des arguments forts pour le dire dans le débat politique. Mais on ne peut, pour autant, faire l'économie de penser la contradiction qui nous empêche de déduire l'école de sa définition, ou même de la vouloir en référence à un principe qui régulerait, dans ce champ, notre action politique. Cette contradiction peut prendre différentes figures. C'est celle qui oppose éducation et instruction, pédagogies et sciences, adultes et enfants, maîtres et élèves... [...] La pédagogie est l'art d'instruire ceux qui ont encore besoin d'une éducation (et en ce sens le système éducatif n'est pas homogène puisque ce besoin s'y efface au fur et à mesure que l'on progresse de l'école vers l'université). Le vieillissement du monde et le renouvellement des générations modifient indéfiniment le contexte dans lequel se présente cette contradiction; la pédagogie, comme pratique spécifique de ce mixte qu'est l'école, comporte comme composante essentielle de son fonctionnement la nécessité de sa réforme. Ce qui s'énonce encore : il y a de l'histoire dans l'école et cette histoire est celle des pédagogies.

Antoine Prost, professeur d'histoire à la Sorbonne

Des articles, des livres fleurissent, brillants, talentueux, incisifs; le raisonnement en paraît impeccable, et il séduit. Le public en retient que l'enseignement serait en détresse parce que les enseignants auraient cessé d'enseigner, et qu'il serait temps de rendre l'école à sa fonction première, qu'elle aurait abandonnée : transmettre des savoirs. [...]

Par-delà ses particularités rhétoriques, ce discours présente trois traits caractéristiques dans son contenu même. C'est d'abord un discours totalement ignorant des savoirs positifs sur l'école et l'enseignement. Que de tels savoirs soient insuffisants, qu'ils ne rendent pas compte de tout, nul ne le conteste, et un immense effort reste à faire. Mais enfin, de tels savoirs existent, et pas seulement sur l'histoire ou la sociologie du système éducatif. Il n'est plus possible d'affirmer n'importe quoi sur l'effet des redoublements, ou sur celui des divers dispositifs de rattrapage, ou sur la façon dont procède tel ou tel apprentissage intellectuel. Sur les connaissances acquises par les élèves dans les principales matières tant à l'école primaire qu'en sixième et au collège, on dispose d'évaluations fouillés, aux critères explicites et multiples. Mais on se heurte ici à un trait plus ancien et plus fondamental de la culture française : le mépris pour toute recherche en ce domaine. La pédagogie en est restée à l'âge métaphysique, et les faits positifs les plus soigneusement établis pèsent ici moins que les convictions. Combien sont encore persuadés que les lycéens sont aujourd'hui plus âgés qu'hier, alors que les chiffres établissent de façon irréfutable qu'ils sont au contraire plus jeunes? Quelques exemples pèsent plus que toutes les statistiques. A ce titre, pourquoi ne pas continuer à écrire que le Soleil tourne autour de la Terre, puisque telle est l'évidence sensible? Avant tout examen, les recherches pédagogiques sont décrétées sans valeur et sans intérêt. Une revue comme la *Revue française de pédagogie* a presque autant de lecteurs à l'étranger qu'en France. Bref, la légitimité même d'une approche positive des faits d'enseignement n'est pas généralement reconnue.

Cette attitude archaïque permet de transformer le débat pédagogique en débat d'idées, quand il devrait être nourri d'expériences et de recherches. L'enseignement ressemble à la médecine, à la fois art et science. Pas plus que la pédagogie, la science médicale n'est en mesure de tout expliquer dans le fonctionnement de l'organisme, et elle ignore encore les causes exactes de certaines maladies pourtant très banales, comme la lithiase rénale; elle ignore même comment agit exactement l'aspirine. Il n'empêche : il ne viendrait à personne l'idée de contester l'importance de la recherche médicale, d'écrire sur le cancer ou l'état de santé des Français avec pour toute documentation quelques conversations, ou de diagnostiquer une épidémie sur l'avis d'un rebouteux. [...]

Le second trait de ce discours est l'absence de toute prise en compte sérieuse des élèves, dans leur réalité sociologique et psychologique d'individus groupés pour étudier. Il n'y a pourtant pas d'école concevable, ni de maîtres, sans élèves. L'école n'est pas faite pour fournir un auditoire à des enseignants mais pour que des élèves apprennent, et la justification des cours, quelle que soit leur forme, magistrale ou non, réside dans leur efficacité pour les

élèves. Or les discours qui nous invitent à restaurer l'enseignement dans la plénitude de ses exigences qu'il aurait abandonnées, nous dit-on, ne s'interrogent guère sur les résistances des élèves. Après avoir présenté comme un constat de fait l'affirmation, qui demanderait à être prouvée, d'une baisse catastrophique du niveau – illusion de globalité – ils l'expliquent par la politique néfaste des gouvernements successifs – illusion de continuité – sous l'influence de syndicats corporatistes ou de pédagogues comme Louis Legrand, qu'ils présentent comme des idéologues en négligeant tous les faits et toutes les expérimentations sur lesquelles ils ont pu s'appuyer.

Il est clair pourtant que les diverses mesures prises ont constitué des réponses à des situations, des solutions à des problèmes posés d'abord par l'évolution des élèves.[...]

Dernier trait de ce discours de restauration : l'absence de toute proposition constructive. Il ne suffit pas de lancer un cri d'alarme, il faut proposer des remèdes aux maux que l'on dénonce et les propositions générales ne sont guère ici efficaces. Si l'on veut avoir prise sur la réalité des classes, impossible de s'en tenir au rappel normatif de grands principes, que personne ne conteste d'ailleurs, comme la nécessité de transmettre des savoirs. Il faut dire comment les traduire dans les faits, et l'on ne peut préconiser les mêmes mesures pour les écoles que pour les collèges ou les lycées.[...].

extraits de la revue *Le Débat,* n° 31, septembre 1984, Gallimard

Un musée pour l'Education

Héritier d'une institution plus que centenaire, le Musée national de l'Education a recueilli un patrimoine sans équivalent. Ses richesses s'offrent à l'investigation du chercheur comme au plaisir et à la curiosité du visiteur.

Fondé par Jules Ferry en 1879, Le Musée pédagogique est une pièce du dispositif institutionnel qui se met alors en place en faveur de l'instruction populaire. Avec la Bibliothèque centrale de l'enseignement primaire qui lui est jointe, il a pour mission officielle de rassembler «des collections diverses de matériel scolaire, des documents historiques et statistiques et des livres de classe provenant de la France et de l'étranger». Le matériel pédagogique présenté par la France et vingt-sept autres pays à l'Exposition universelle de 1878 constitue de fait le point de départ des collections. Pourtant, dans l'esprit de ses fondateurs, le Musée pédagogique n'est pas une institution patrimoniale. Il «est fait pour rendre à notre instruction primaire les mêmes services que rend à l'enseignement technique le Conservatoire des arts et métiers». Instituteurs, inspecteurs ou administrateurs, plus que les simples curieux, s'y rendent pour prendre connaissance des dernières nouveautés en matière de mobilier scolaire ou de matériel pédagogique; ils peuvent également y consulter des recueils de travaux d'élèves ou des plans d'école.

En 1885, le Musée s'installe, pour près d'un demi-siècle, rue Gay-Lussac, dans l'ancien couvent des Ursulines. Il y développe ses fonctions documentaires, notamment en créant un Service de «vues fixes», destinées aux projections lumineuses des cours d'adultes, puis, en 1925, un Service des films. En 1932, logiquement rebaptisé Centre national de documentation pédagogique, le Musée pédagogique s'installe 29 rue d'Ulm. L'actuel C.N.D.P. a hérité, en 1976, de cette mission de production documentaire à l'usage de l'enseignement. A cette même date, la création de l'Institut national de recherche pédagogique permettait de regrouper deux fonctions dont l'importance avait grandi au fil des ans : la recherche pédagogique proprement dite, stimulée par l'extension de la scolarité secondaire, et la dimension historique et muséographique que justifiait notamment l'exceptionnelle richesse patrimoniale de la bibliothèque et des «collections historiques», héritées de l'ancien Musée pédagogique et considérablement enrichies depuis 1945. Celles-ci, transférées à Rouen en 1980, ont formé le noyau du nouveau Musée national de l'éducation.

Le titre du musée indique l'étendue du domaine qu'il lui revient de couvrir. Non seulement les traces matérielles de l'histoire de l'école, dont l'iconographie de cet ouvrage donne un premier aperçu, mais encore celles de l'éducation extra-scolaire et familiale. Peintures, estampes, imagerie, pièces autographes, documents photographiques, jeux et jouets, littérature pour la jeunesse, manuels scolaires, travaux d'élèves, mobilier scolaire, matériel didactique, en forment les principales séries, soit plusieurs centaines de milliers de documents qui s'échelonnent du XVIe siècle à nos jours.

Formant avec le Service d'histoire et la Bibliothèque de l'I.N.R.P., le Département Mémoire de l'Education, le musée a l'ambition de conjuguer recherche universitaire et muséographie. Ses expositions, présentées dans l'une des plus anciennes maisons à pans de bois du vieux Rouen, s'attachent à diffuser, avec la séduction propre aux objets de mémoire, les connaissances toujours renouvelées de l'histoire de l'éducation. L'éventail des thèmes déjà abordés reflète la diversité des collections : *Lire, écrire, compter, 2000 ans d'alphabétisation; L'Education des jeunes filles, il y a cent ans; Geoffroy, peintre de l'enfance; L'Enfant et la machine; La Révolution racontée aux enfants; Célestin Freinet et sa pédagogie; P comme Patrie, en France de 1850 à 1950; Trésors d'enfances : éducation, école et jeux en France de 1500 à 1914; Rouen, le livre et l'enfant, de 1700 à 1900.*

Page de gauche, le Musée pédagogique dans l'ancient couvent des Ursulines à Paris, vers 1890. Ci-dessus l'actuel lieu d'exposition du Musée national de l'Education à Rouen.

RENSEIGNEMENTS PRATIQUES

Expositions
185, rue Eau-de-Robec, 76000 Rouen.
Du mardi au samedi : de 13 à 18 heures.
(matinées réservées aux scolaires)
Le dimanche : de 14 à 18 heures.
Conservation, documentation, recherche
39, rue de Lacroix de Vaubois,
76130 Mont-Saint-Aignan,
du lundi au vendredi, de 8 à 17 heures.

Tél. : 35 75 49 70

Evolution des taux d'alphabétisation (XVIIe-XIXe siècles)

	1686-1690	1786-1790	1816-1820	1872-1876
Hommes sachant signer	28 %	47 %	54 %	77 %
Femmes sachant signer	14 %	27 %	34 %	67 %
Moyenne générale	21 %	37 %	44 %	72 %

Source : François Furet et Jacques Ozouf, *Lire et écrire. L'alphabétisation des Français de Calvin à Jules Ferry*, Editions de Minuit, 1977.

Effectifs de l'enseignement primaire (1832-1945)

	Garçons	*dont privé :*	Filles	*dont privé :*
1832	1 203 000	---	735 000	---
1850	1 794 000	*12,7 %*	1 529 000	*32,2 %*
1865	2 307 000	*9,7 %*	2 130 000	*34,5 %*
1885	2 786 000	*11,5 %*	2 732 000	*27,5 %*
1906	2 727 000	*12,2 %*	2 724 000	*24,1 %*
1925	1 849 000	*13,8 %*	1 904 000	*25,7 %*
1945	2 263 000	*17,2 %*	2 313 000	*27,2 %*

Source : Jean-Pierre Briand, Jean-Michel Chapoulie, Françoise Huguet, Jean-Noël Luc, Antoine Prost, *L'Enseignement primaire et ses extensions, XIXe-XXe siècles*. Annuaire statistique, Economica / INRP, 1987.

Effectifs des lycées et collèges (1820-1898)

	1820	1842	1865	1887	1898
Lycées et coll. publics	33 762	45 281	65 668	89 902	86 084
dont internes :	*35,1 %*	*44,5 %*	*47 %*	*44 %*	*37,6 %*
Collèges privés	20 513	31 316	77 906	70 259	77 368
dont internes :	*57,7 %*	*60,3 %*	*59,6 %*	*64 %*	*64,6 %*
Total	54 275	76 597	143 574	160 161	163 452

Source : A. Prost, *Histoire de l'enseignement en France, 1800-1967*, Colin, 1968.

Les formations post-élémentaires (1928-1968) (en milliers d'élèves)

	1928-1929	1938-1939	1958-1959	1968-1969
Cours complémentaires/C.E.G.	92	167	514	868
C.E.S.	---	---	---	770
Ecoles primaires supérieures	80	105	---	---
Lycées et collèges	291	512	1 196	1 636
E.P.C.I/Collèges techniques	38	66	161	---
Centres d'apprentissage/C.E.T.	---	---	261	595
Facultés et grandes écoles	67	79	229	669
Total	568	929	2 361	4 538

Source : A. Prost, *Histoire générale de l'enseignement et de l'éducation en France*, t. IV, *L'Ecole et la famille dans une société en mutation*, N.L.F., 1983.

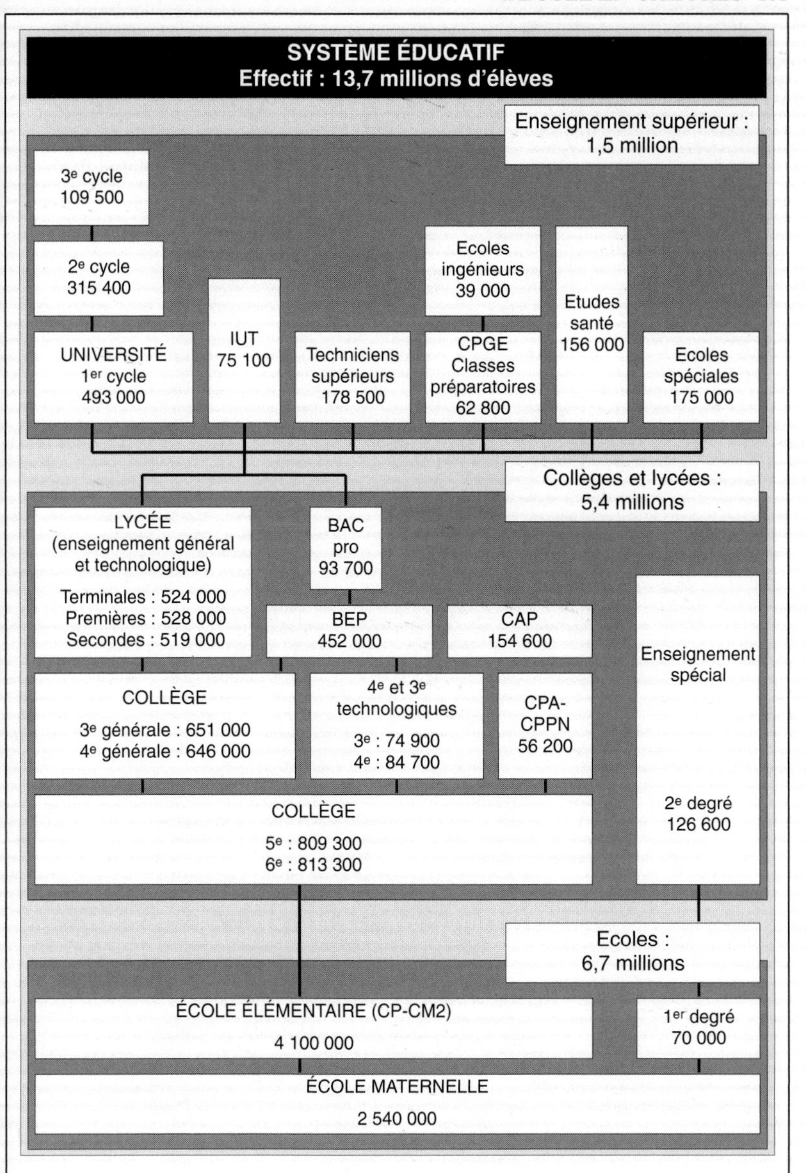

Source : *Sciences humaines* n° 10, octobre 1991.

CHRONOLOGIE

1490 Jean Standonck entreprend la réforme du collège parisien de Montaigu.
1530 François Ier fonde le Collège royal.
1556 Les Jésuites ouvrent, à Billom, leur premier collège en France.
1561 Fondation, à Nîmes, de la première académie protestante.
1610 Fondation des Visitandines par François de Sales et Jeanne de Chantal.
1612 Installation des Ursulines à Paris.
1614 Les Oratoriens créent, à Dieppe, leur premier collège.
1634 Fondation des Filles de la charité par saint Vincent de Paul.
1654 J. de Battencour : *L'Ecole paroissiale*.
1678-88 Jean-Baptiste de La Salle fonde à Reims l'Institut des frères des écoles chrétiennes.
1685 L'édit de Fontainebleau, révocant l'édit de Nantes, supprime les écoles protestantes.
1687 Fénelon : *De l'éducation des filles*.
1720 J.-B. de La Salle : *La Conduite des écoles chrétiennes*.
1751 Fondation de l'Ecole militaire de Paris.
1762 Le parlement ordonne la fermeture des collèges des jésuites.
Jean-Jacques Rousseau : *L'Emile*.
1766 Création de l'agrégation.
1789 2 novembre : Les biens du clergé sont mis à la disposition de la Nation.
27 novembre : L'Assemblée exige du clergé un serment à la Constitution civile.
10 septembre : Lecture du rapport de Talleyrand sur l'instruction publique.
1792 20 avril : Condorcet présente son rapport à l'Assemblée législative.
août : Suppression des congrégations séculières
1793 10 juin : fondation du Museum d'histoire naturelle.
13 juillet : Robespierre présente à la Convention le projet de Le Peletier de Saint-Fargeau.
1er août : Instauration du système métrique.
10 août : Inauguration du «Muséum central des arts» au Louvre.
19 décembre : Vote du décret Bouquier.
1794 28 septembre : Création de l'Ecole centrale des travaux publics (future Polytechnique).
10 octobre : Création du Conservatoire des arts et métiers.
31 octobre : Création d'une école normale à Paris (future Ecole normale supérieure).
1795 25 février : Vote du projet Lakanal instaurant une école centrale par département.
25 octobre : Loi Daunou sur l'organisation de l'instruction publique.
1800 Création de la première école d'Arts et Métiers.
1802 1er mai : Création des lycées.
1806 10 mai : Fondation de l'Université impériale.
1808 17 mars : Décrets organisant l'Université, dont Fontanes devient le grand-maître.
1815 Naissance de la Société pour l'Instruction élémentaire.
1er septembre : Ouverture de la première école mutuelle à Paris.
1816 29 février : Ordonnance portant sur l'instruction primaire : création du brevet de capacité.
1828 4 janvier : l'Instruction publique devient un ministère à part entière.
Denys Cochin ouvre, à Paris, la première salle d'asile.
1829 Fondation de l'Ecole centrale des arts et manufactures (actuelle Ecole centrale).
1833 28 juin : Loi Guizot rénovant l'instruction primaire.
1834 25 avril : Publication des «statuts sur les écoles primaires élémentaires communales».
1835 26 février : Création d'un premier corps d'inspecteurs primaires.
1850 15 mars : Loi Falloux, favorable à l'enseignement congréganiste.
1865 21 juin : Loi Duruy instaurant un enseignement secondaire spécial.
1866 Fondation de la Ligue française de l'enseignement par Jean Macé.
1867 10 avril : Loi Duruy sur l'enseignement primaire.
30 octobre : circulaire instaurant des cours secondaires pour les jeunes filles.
1868 31 juillet : fondation de l'Ecole pratique des hautes études.
1872 Fondation de l'Ecole libre des Sciences politiques par Emile Boutmy.
1879 2 février : Jules Ferry, pour la première fois ministre de l'Instruction publique.
9 août : Loi Paul Bert sur la création des écoles normales d'institutrices.
20 décembre : Loi Camille Sée créant des lycées de jeunes filles.
1881 16 juin : Loi Ferry instaurant la gratuité de l'école primaire publique.
1882 28 mars : Loi Ferry instaurant l'obligation

de l'enseignement élémentaire et la laïcisation des programmes des écoles publiques.
1886 30 octobre : Loi Goblet fixant l'organisation générale de l'école primaire. Laïcisation du personnel des écoles publiques.
1889 19 juillet : Les maîtres des écoles publiques deviennent fonctionnaires de l'Etat.
1896 10 juillet : Loi créant une université dans chaque académie.
1902 31 mai : Réforme de l'enseignement secondaire.
1904 5 juillet : La loi Combes interdit d'enseigner à tous les congréganistes.
1911 24 octobre : Décret instaurant le Certificat d'aptitude professionnelle (CAP).
1918 Publication de *L'Université nouvelle* qui milite en faveur d'une «école unique».
1919 25 juillet : Loi Astier instaurant des cours professionnels pour les apprentis.
1925 10 juillet : Le cursus des lycées de filles s'aligne sur celui des garçons.
13 juil. : Création de la taxe d'apprentissage.
1926 12 février : les programmes des écoles primaires et ceux des classes élémentaires des lycées et collèges sont uniformisés.
1927 Célestin Freinet : *L'Imprimerie à l'école.*
1930 avril : Le principe de la gratuité de tous les établissements secondaires est inscrit dans la loi de finances.
1933 1er septembre : Création d'un examen d'entrée en sixième.
1934 Le ministère de l'Instruction publique est rebaptisé ministère de l'Education nationale.
1936 9 août : L'obligation scolaire est portée de 13 à 14 ans, à l'initiative de Jean Zay, ministre du Front populaire.
1937 21 mai : Les programmes des Ecoles primaires supérieures et du premier cycle des lycées et collèges sont uniformisés.
1938 20 septembre : Organisation des classes de fin d'études primaires.
1939 21 septembre : Création des centres de formation professionnelle (CFP).
1941 15 août : Le ministre Carcopino transforme les Ecoles primaires supérieures en collèges modernes et les Ecoles pratiques de commerce et d'industrie en collèges techniques.
1944 8 novembre : Création de la commission Langevin-Wallon dont les travaux relancent le thème de «l'école unique».
1949 21 février : Organisation des Centres d'apprentissage qui remplacent les CFP.
1950 1er avril : Création du CAPES.
1951 21 septembre : Lois Marie et Barangé.
1952 19 février : Création du brevet de technicien.
1959 6 janvier : Réforme Berthoin : l'obligation scolaire est portée à seize ans; création des CEG (collèges d'enseignement général).
31 décembre : Loi Debré instaurant un système de contrats entre l'Etat et les écoles privées.
1960 2 août : Création des collèges et des lycées agricoles.
1963 3 mai : Instauration de la «carte scolaire».
3 août : réforme Fouchet : création des CES.
1965 10 juin : création du baccalauréat de technicien.
1966 7 janvier : Création des IUT (Instituts universitaires de technologie).
1968 mars : Troubles à l'université de Nanterre.
mai : Grèves et émeutes étudiantes à Paris et dans plusieurs villes de province.
9 octobre : Suppression du latin en sixième
12 novembre : Loi Edgard Faure réorganisant l'enseignement supérieur.
1969 30 mai : Création du corps des PEGC.
7 août : Réforme de l'organisation pédagogique des écoles primaires; mise en œuvre des «disciplines d'éveil».
1970 2 janvier : Introduction des mathématiques modernes à l'école primaire.
4 décembre : Instructions sur l'enseignement du français à l'école primaire valorisant l'expression orale.
1973 1er mars : création du DEUG (diplôme d'études universitaires générales).
23 mars : Création de centres de documentation et d'information dans les établissements secondaires.
1975 11 juillet : Réforme Haby, instauration du collège unique.
1977 25 novembre : Loi Guermeur.
1982 Mise en place des ZEP (zones d'éducation prioritaires) par Alain Savary, nouveau ministre.
1984 14 juillet : Abandon du projet Savary sur l'école privée.
1985 25 janvier : Loi fixant les compétences de l'Etat et des collectivités locales pour l'Education, dans le cadre de la décentralisation. Création du baccalauréat professionnel.
1989 10 juillet : Loi d'orientation sur l'éducation votée à l'initiative de Lionel Jospin : création du conseil national des programmes et des Instituts universitaires de formation des maîtres (IUFM); chaque établissement scolaire est tenu d'élaborer un projet d'établissement.
1991 Suppression des anciennes Ecoles normales, ouverture des IUFM, chargés de la formation des instituteurs (professeurs d'école) et des professeurs du secondaire.

BIBLIOGRAPHIE

– Albertini (Pierre), *L'Ecole en France : XIXe-XXe siècle. De la maternelle à l'université,* Hachette, 1992.
– Baudelot (Christian), Establet (Roger), *Le Niveau monte,* Le Seuil, 1989.
– Briand (Jean-Pierre), Chapoulie (Jean-Michel), *Les Collèges du peuple : l'enseignement primaire supérieur et le développement de la scolarité prolongée sous la troisième République,* CNRS / INRP / ENS Fontenay - St-Cloud, 1992.
– Ballion (Robert), *Les Consommateurs d'école,* Stock, 1982.
– Ballion (Robert), *La Bonne Ecole. Evaluation et choix du collège et du lycée,* Hatier, 1991.
- Carpentier (Claude), «Le certificat d'études primaires sous la IIIe République dans la Somme», *Cahiers du C.E.R.P.P.*, n°6, 1985.
– Charmasson (Thérèse), Lelorrain (Anne-Marie), Ripa (Yannick), *L'Enseignement technique de la Révolution à nos jours; t. 1 : 1789-1926,* Economica et INRP, 1987.
– Charmasson (Thérèse), Lelorrain (Anne-Marie), Ripa (Yannick), *L'Enseignement agricole et vétérinaire de la Révolution à la Libération; t. 1 : 1789-1926,* INRP & Publications de la Sorbonne, 1992.
– Chartier (Roger), Julia (Dominique), Compère (Marie-Madeleine), *L'Education en France du XVIe au XVIIIe s.*, SEDES, 1976.
– Compère (Marie-Madeleine), *Du collège au lycée (1500-1850),* Gallimard / Julliard, 1985, coll. «Archives».
– Compère (Marie-Madeleine), Julia (Dominique), *Les Collèges français, XVIe-XVIIIe siècles.* INRP, CNRS, 1984 et 1988.
– Coutel (Charles), *La République et l'école, une anthologie,* Presses Pocket, 1991.
– Crubellier (Maurice), *L'Enfance et la jeunesse dans la société française (1800-1950),* Colin, 1979.
- Duveau (Georges), *Les Instituteurs*, Le Seuil, 1957, coll. «Le Temps qui court».
– Furet (François), Ozouf (Jacques), *Lire et écrire. L'alphabétisation des français de Calvin à Jules Ferry*, éditions de Minuit, 1977.
– Gaillard (Jean-Michel), *Jules Ferry*, Fayard, 1989.
– Gerbod (Paul), *La Vie quotidienne dans les lycées et collèges au XIXe siècle,* Hachette, 1968.
– Giolitto (Pierre), *Histoire de l'enseignement primaire au XIXe siècle.* Nathan, 1983-1984.
– Gontard (Maurice), *L'Enseignement primaire en France de la Révolution à la loi Guizot (1789-1833),* Paris, Les Belles Lettres, 1959.
– Gontard (Maurice), *Les Ecoles primaires de la France bourgeoise (1833-1875),* Toulouse, CRDP, 1963.
– Gontard (Maurice), *L'Œuvre scolaire de la troisième République, l'enseignement primaire en France de 1876 à 1914,* IPN, 1965.
– Grosperrin (Bernard), *Les Petites Ecoles sous l'Ancien Régime,* Rennes, Ouest-France, 1984.
– Guiral (Pierre), Thuillier (Guy), *La Vie quotidienne des professeurs de 1870 à 1940,* Hachette, 1982.
– Julia (Dominique), *Atlas de la Révolution française, t.2. L'Enseignement (1760-1815),* EHESS, 1987.
– Julia (Dominique), *Les Trois Couleurs du tableau noir. La Révolution,* Belin, 1981.
– Lamming (Clive), *A l'encre violette. Un siècle d'école communale en France,* Atlas, 1983.
– Lebrun (François), Queniart (Jean), Venard (Marc), *Histoire générale de l'enseignement et de l'éducation en France; t. II, De Gutenberg aux Lumières*, NLF, 1981.
– Lelièvre (Claude), *Histoire des institutions scolaires (1789-1989),* Nathan, 1990.
– Lelièvre (Françoise), Lelièvre (Claude), *Histoire de la scolarisation des filles,* Nathan, 1991.
– Léon (Antoine), *Histoire de l'enseignement en France,* PUF, 1977, coll. «Que sais-je ?».
– Luc (Jean-Noël), *La Petite Enfance à l'école, XIXe-XXe siècles*, Economica, 1982.
– Mayeur (Françoise), *L'Enseignement secondaire des jeunes filles sous la tTroisième République,* Presses de la FNSP, 1977.
– Mayeur (Françoise), *L'Education des filles en France au XIXe siècle,* Hachette, 1979.
– Mayeur (Françoise), *Histoire générale de l'enseignement et de l'éducation en France; t. III, De la Révolution à l'école républicaine,* NLF, 1981.
– Minot (Jacques), *Histoire des universités françaises,* PUF, 1991, coll. «Que sais-je ?».
– Nique (Christian), *L'Impossible Gouvernement des esprits. Histoire politique des écoles normales primaires,* Nathan, 1991.
– Nique (Christian), Lelièvre (Claude), *Histoire biographique de l'enseignement en France,* Retz, 1990.
– Ozouf (Jacques), *Nous les maîtres d'école. Autobiographies d'instituteurs de la Belle*

Epoque, Julliard, 1967, coll. «Archives».
– Ozouf (Mona), *L'Ecole, l'Eglise et la République,* Colin, 1963.
– Ozouf (Mona), *L'Ecole de la France. Essais sur la Révolution, l'utopie et l'enseignement,* Gallimard, 1984.
– Ozouf (Mona) (présenté par), *La Classe ininterrompue. Cahiers de la famille Sandre, enseignants, 1780-1960,* Hachette, 1979.
- Ozouf (Jacques et Mona), *La République des instituteurs*, Gallimard-Le Seuil, 1992.
- Pelpel (Patrice), Troger (Vincent), *Histoire de l'enseignement technique*, Hachette, 1993.
– Prost (Antoine), *L'Enseignement en France (1800-1967),* Colin, 1968.
– Prost (Antoine), *Histoire générale de l'enseignement et de l'éducation en France; t. IV, L'Ecole et la famille dans une société en mutation,* NLF, 1983.
– Prost (Antoine), *Education, société et politiques. Une histoire de l'enseignement en France de 1945 à nos jours,* Seuil, 1992.
– Raynaud (Philippe) et Thibaud (Paul), *La Fin de l'école républicaine*, Calmann-Lévy, 1990.
– Reboul-Scherrer (Fabienne), *La Vie quotidienne des premiers instituteurs (1833-1882),* Hachette, 1989.
- Rouet (Gilles), *L'invention de l'école. L'école primaire sous la Monarchie de Juillet*, Presses universitaires de Nancy, 1993.
– Sonnet (Martine), *L'Education des filles au temps des Lumières,* éditions du Cerf, 1987.

TABLE DES ILLUSTRATIONS

MNE : Musée national de l'Education, Rouen.

COUVERTURE

1er plat Page d'un cahier de CM1 en 1938. MNE.
En classe, le travail des petits (détail), peinture de Jean Geoffroy, 1889. Ministère de l'Education nationale.
4e plat La *Grammaire en image*. Bibl. des Arts décoratifs, Paris.
Dos Aquarelle de Joseph Hémard dans *La Guerre des boutons* de Louis Pergaud, 1927.

OUVERTURE

1 *Un futur savant,* peinture de J. Geoffroy, 1880. MNE.
2-3 *En classe, le travail des petits,* peinture de J. Geoffroy, 1889. Ministère de l'Education nationale, Paris.
4-5 *La Dictée,* peinture d'Auguste-Joseph Truphême, v. 1890. Musée Granet, Aix-en-Provence.
6-7 *Le Déjeuner dans une école communale de la ville de Paris,* peinture de A.-J. Truphême. Coll. part.
8-9 *Le Retour de l'école,* peinture de J. Geoffroy, 1883. Coll. part.
11 «La Classe», planche de vocabulaire, tableau auxiliaire Delmas, dessin de Poissonnié, v. 1905. MNE.

CHAPITRE I

12 *Le Maître d'école,* tableau de Adriaen Van Ostade, 1662. Musée du Louvre, Paris.
13 L'enseignement des moines, miniature extraite de la *Bible de Guiart des Moulins,* XVe s. Bibl. Mazarine, Paris.
14h «Beaux ABC, belles heures», planche extraite des *Cris de Paris.* Bibl. de l'Arsenal, Paris.
14b Page de titre du *Catéchisme* de Jean Calvin, 1553. Bibl. nat., Paris.
14-15b Détail d'une enseigne de maître d'école, de Hans Holbein le Jeune, 1516. Kunstmuseum, Bâle.
15h Portrait de Jean-Baptiste de la Salle. Coll. part.
16-17 *Le Maître d'école,* peinture de Jan Steen, XVIIe s. Musée des Beaux-Arts, Mulhouse.
18-19h «Abécédaire des sœurs de la Charité», XVIIIe s. MNE.
18-19b Détail d'un abécédaire de la Croix de par Dieu, v. 1800. MNE.
20 «La Maîtresse d'école», gravure d'Abraham Bosse, milieu XVIIe s. MNE.
21g *Traité de l'arithmétique par les jetons,* de F. Le Gendre, XVIIIe s. MNE.
21d «Le Maître d'école sévère», gravure, XVIIIe s.
22 «L'Ecole de village», gravure extraite de *La Vie de mon père* de Restif de la Bretonne, 1779. Bibl. nat., Paris.
23h et m *Alphabet ingénieux...*, 1774. Bibl. de l'INRP.
23d Armoiries d'une corporation de maîtres-écrivains. MNE.

CHAPITRE II

24 *La Leçon de géométrie,* peinture anonyme, XVIIe s. Musée municipal, Cambrai.
25 Miniature extraite du *Livre des propriétés des choses,* de Barthélemy l'Anglais. Bibl. Sainte-Geneviève, Paris.
26 Assemblée de docteurs de la Sorbonne, dans *Recueil des chants royaux sur la conception...,* XVIe s. Bibl. nat., Paris.
27h Enluminure extraite du *Cartulaire du collège de l'Ave Maria,* XIVe s. Archives nationales, Paris.

27b Le collège de la Sorbonne en 1550, litho, XIXe s. MNE.
28h «Pierre Ramus», gravure, XVIIIe s. MNE.
28b François Ier, fondation du Collège de France, miniature de Clouet. Musée Condé, Chantilly.
29 «Educatio liberorum», gravure de Galle, fin XVIe s. Bibl. nat., Paris.
30hg «Cour du collège de La Marche», gravure de François-Nicolas Martinet, XVIIIe s. MNE.
30hd «Cour du collège de Navarre», *idem.* MNE.
30m Jean Standonck, gravure de J.-B. Guiard, XVIIe s. MNE.
30-31 Vue cavalière du collège d'Harcourt sous Charles V, gravure de C. Duprez, XIXe s. Bibl. des Arts décoratifs, Paris.
32h «Faire un thème...», détail d'un cahier de latin d'un élève de 3e au collège Mazarin, XVIIIe s. MNE.
32-33b Dortoir du collège de Navarre à Paris, gravure de Martinet, XVIIIe s. MNE.
33hd «La sortie du collège», gravure d'Augustin de Saint-Aubin, 1770. MNE.
34h «Ecole française les jeunes demoiselles» détail d'une gravure, XVIIIe s.
34-35b Demoiselles de Saint-Cyr, gravures de Nicolas Arnoult, v. 1690. MNE.
35 «Racine faisant réciter sa tragédie d'*Esther* par les Demoiselles de Saint-Cyr», gravure de Coqueret, d'après J. Boily, début XIXe s. MNE.
36 Portrait d'un maître et de son élève, peinture de Claude Lefèbvre, XVIIe s. Musée du Louvre, Paris.
37h *La Bonne Education*, peinture de J.-B. Chardin. Wanas Collection, Suède.
37b *Elève et précepteur*, aquarelle de J.-J. de Boissieu. Musée Carnavalet, Paris.
38-39h L'Ecole militaire, vue du Champ-de-Mars, gravure de Chappuy, d'après Durand, v. 1810. MNE.
39b Le recteur et les doyens de l'université de Perpignan, gravure, XVIIIe s. MNE.
40h Jeu de cartes historique, fin XVIIIe s. MNE.
40b Frontispice d'une *Méthode pour la géographie,* XVIIe s.
40-41 *Le jeu de France,* jeu de l'oie de P. du Val, géographe du roi, 1659. MNE.

CHAPITRE III

42 Portrait d'un lycéen en 1859, peinture anonyme. MNE.
43 «Le Jour des prix», litho de A. Duruy, v. 1860. MNE.
44hg Elève de l'Ecole polytechnique, gravure coloriée, début XIXe s. MNE.
44hd Décret de la Convention nationale du 8 mars 1793 sur la vente des biens des collèges. MNE.
44b Condorcet, dans Bosio, Demarchi etc., *Recueil des principaux personnages de l'époque 1780-1820.*
45 Vue de l'Ecole de médecine, à Paris, gravure, v. 1800. MNE.
46 Cour du lycée Napoléon sous le premier Empire, gravure, 1838. MNE.
47h «Retour du collège», litho, v. 1810. MNE.
47b Elève de lycée, gravure, v. 1810. Bibl. des Arts décoratifs, Paris.
48h En-tête d'un certificat d'études secondaires, sous la Restauration. MNE.
48b M. de Lanneau, principal du collège Sainte-Barbe à Paris, litho de Marlet. MNE.
49 *Le Collège de Sainte-Barbe, rue de Reims à Paris,* peinture d'Etienne Bouhot. Musée Carnavalet, Paris.
50 Elève de lycée, gravure, début XIXe s. MNE.
50-51 Gravures d'après Gavarni, v. 1840. MNE.
52-53 «La Récréation», «La Retenue», «La Sortie de classe», «L'Examen», lithos de Leroy, d'après des dessins de Bodin, v. 1840. MNE.
54-55h «Les Elèves à la clinique», litho de Bouchot, v. 1850. MNE.
54-55b «Cours d'anatomie comparée au Jardin des Plantes», gravure d'après un dessin de Ryckebusch, janvier 1879. MNE.
56-57h «Vue intérieure de la Sorbonne», gravure, v. 1800. MNE.
56-57b (de gauche à droite) Quinet, Villemain, Guizot, Michelet, Cousin, Renan, détail d'une fresque de F. Flameng, 1889. Sorbonne, Paris.
57 Le Conservatoire national des arts et métiers, façade sur la rue Saint-Martin, carte postale, v. 1900. MNE.
58-59h «Cortège industriel de Strasbourg», litho, 1840. MNE.
58-59b «Ecoles publiques du soir», dans *Le Monde illustré,* 4 janvier 1858. MNE.
60b Couvent des dames augustines anglaises, peinture anonyme. Musée Carnavalet, Paris; «Jeunes Musiciennes», litho d'Achille Deveria, v. 1840. MNE.
61 Les cours Duruy à la Sorbonne, «La Leçon de chimie», dans *L'Illustration,* 14 décembre 1867. MNE.

CHAPITRE IV

62 *Après la classe,* peinture de Benjamin Vautier, 1859. Coll. part.
63 Bon point illustré, v. 1840. MNE.
64 «L'Instituteur des aristocrates», caricature d'époque révolutionnaire. MNE.
64-65 Cahier d'arithmétique de J.-J. Chaffard, 1793-

1795. MNE.
66-67h *Le Manuel des jeunes républicains,* An II. Bibl. de l'INRP.
66b «La Réprimande», litho, v. 1815. Musée Carnavalet, Paris
67h «L'Espièglerie», *idem.*
68h En-tête d'un brevet de capacité, 1816. MNE.
68b «Enseignement mutuel», litho de Marlet, v. 1820. MNE.
69h Les élèves au cercle, gravure anonyme, v. 1820 MNE.
69b «Le Moniteur», litho de Ch. de Saillet, v. 1820. MNE.
70h «Progrès des lumières», caricature, v. 1825. MNE.
71 *La Maîtresse d'école,* tableau d'Alphonse Cornet. Musée Mandet, Riom.
72 Maître d'école, gravure d'après Gavarni, v. 1840. MNE.
72-73 «Tableau de l'enseignement des poids et mesures», éditions Basset, Paris, v. 1850. MNE.
73b «Le Dormeur surpris», détail d'une gravure, v. 1870. MNE.
74h «Entrée en classe», litho, 1843. Bibl. nat., Paris.
74-75 «Suspension des instituteurs», caricature de Bertall, dans *Le Journal pour rire,* 17 janvier 1850.
75h «Nouvelle loi sur l'enseignement. Ce sont les instituteurs qui reçoivent la férule», litho de Ch. Vernier. MNE.
76-77 «L'Instruction en France en 1867», par J. Manier. MNE.
77d «Loi sur l'ignorance publique...», caricature de Bertall, dans *Le Journal pour rire,* 23 février 1850. MNE.

CHAPITRE V

78 Jules Ferry, dessin de Paul Sarrut. Musée des Arts africains et océaniens, Paris.
79 *En classe. Le travail des petits,* détail d'une peinture de Geoffroy, 1889. Ministère de l'Education nationale.
80 Jules Ferry, caricature de A. Gill, extraite de la série «Les Hommes d'aujourd'hui», 1879. MNE.
81m Titre d'une affiche antilaïque, 28 mai 1883, Lille. MNE.
81b Sœurs et écolières, carte postale.
82h Un cours à l'école normale de filles de Melun, v. 1900. MNE.
82-83b La salle d'étude de l'école normale de garçons d'Orléans, v. 1900. MNE.
83 Un dortoir à l'école normale de garçons de Chateauroux, 1899. MNE.
84-85 Récréation à l'école normale de garçons d'Arras, v. 1910. MNE.
86 «L'Enlèvement des crucifix dans les écoles de la ville de Paris», gravure, dans *La Presse illustrée,* février 1881. MNE.
87 Leçon sur l'alcoolisme, v. 1900. MNE.
88-89 Bâtiments d'écoles primaires, cartes postales, v. 1900-1910. MNE.
90h «Musée industriel scolaire, la métallurgie», de C. Dorangeon, v. 1890. MNE.
90m Appareil cosmographique, v. 1880. MNE.
90-91b *L'Ecolier,* peinture de Jules Mignon, v. 1914. MNE.
91 Page d'un cahier, cours moyen, école communale d'Epineuil, v. 1890. Coll. part.
92h Elèves de l'école de filles de Chastel-Nouvel (Lozère), v. 1900. MNE.
92m Certificat d'études primaires de Benoît Frachon, 1904. Archives de la famille Frachon.
93h Ecole de garçons en Lozère, v. 1900. MNE.
93m «La Tache noire», chromolitho d'après Firmin Bouisset, Imagerie Quantin, v. 1885. MNE.
94-95 Planches gravées, mètres, poids, plumes.
95b Leçon d'écriture à l'école de garçons de Damvillers (Meuse), v. 1900. MNE.
96-97 *Intérieur d'une salle d'asile,* peinture de François Granet, 1844. Musée Granet, Aix-en-Provence.
98 Distribution de biscuits dans une école maternelle, v. 1930.
99h Cour d'une école maternelle à Paris en juin 1911. MNE.
99b Ecole maternelle à Lyon en 1899. MNE.
100 Ecole d'apprentis à Bordeaux, v. 1900. MNE.
101 *La Sortie du lycée Condorcet,* peinture de Jean Béraud, 1898. Musée Carnavalet, Paris.
102 Programmes du lycée de filles de Rouen, 17 août 1882. MNE.
103 Cours de physique au lycée Racine à Paris, v. 1900. MNE.
104 «D'examens en examens», caricature de A. Robida, dans *La Vie électrique,* v. 1890. Bibl. des Arts décoratifs, Paris.
105h «La Nouvelle Sorbonne», dans *Le Monde illustré,* 1889.
105b Henri Sainte-Claire-Deville, dans le grand amphithéâtre de l'ancienne Sorbonne, peinture de Léon Lhermitte, v. 1890. Ecole normale supérieure, Paris.
106-107/108-109 Objets des collections du MNE.

CHAPITRE VI

110 La sortie du lycée Carnot à Paris, avant guerre.
111 «Une leçon en classe», planche de vocabulaire, v. 1960. MNE.
112 Ecole technique de Guisseny (Finistère), carte postale. MNE.
112-113b La classe de huitième au lycée Félix Faure à Beauvais, 1912-1913. MNE.
113 Cours de dactylographie à l'EPS de jeunes filles de

Tours, carte postale. MNE.
114h Freinet parmi ses élèves, carte postale, v. 1930. MNE.
114b Cahier de CE2 : classe-promenade au château de Vincennes, 1958. MNE.
115m Epreuve de maçonnerie au CAP, v. 1950. MNE.
115b Travail de couvreur au CET Maximilien Perret à Vincennes, v. 1965. MNE.
117 Professeur de collège à Meudon en 1966. MNE.
116-117b Le lycée de garçons de Reims, v. 1960. MNE.
118-119 Mai 1968 à la Sorbonne.
120h Page de la méthode de lecture Boscher, 1946. MNE.
120b Elèves d'une école primaire d'Eure-et-Loir, v. 1960. MNE.
121 Cours de mathématiques à l'école primaire, v. 1975. MNE.
122h Elèves de maternelle. Photo de Robert Doisneau.
122m Page d'un manuel de lecture pour le CP, 1988. MNE.
123h Chantier d'un CES à Meudon, 1966. MNE.
123b Epreuve du bac à la maison des Examens à Paris, 1958. MNE.
124h File d'étudiants à la faculté d'Assas pour les inscriptions, années 1980.
124b Graphique de l'évolution des structures de l'enseignement secondaire.
125 Travaux pratiques de physique au collège Anne-Franck, Paris, 1984.
126 Manifestation du 16 janvier 1994 à Paris.
127 Elèves d'une école primaire, années 1990.
128 Ecoliers avec cartables.

TÉMOIGNAGES ET DOCUMENTS

129 Cours d'histoire en 7e au lycée de garçons de Reims, 1960. MNE.
130 Jules Ferry, gravure de Florian, dans *La Revue illustrée,* 1889. MNE.
132-133 A l'école de Buigny-les-Gamaches, (Somme), carte postale, v. 1900. MNE.
134 «L'Ecole des pauvres», gravure d'après Charpentier, début XIXe s. MNE.
136-137 «Ecole d'enseignement mutuel, à Paris, rue du Port-Mahon», litho de Ch. de Lasteyrie d'après Hippolyte Lecomte, 1818. MNE.
140 Vignettes extraites de la *Méthode rationnelle de lecture,* de F.-A. Noël. MNE.
140-141b «La Leçon de géographie», gravure de Dunki dans *Le Livre du jeune Français,* de C. Dubois, v. 1890. MNE.
142 «En classe», illustration de F. Raffin, dans *L'Imagier de l'enfance,* de Mlle Georgin, v. 1925. MNE.
144 «La Petite Ecole», gravure de Milcent d'après Doublet, v. 1770. MNE.
145 Le maître d'école, gravure de J.-J. de Boissieu, 1780. MNE.
146 «L'Ecole des garçons», gravure de Bacheley d'après Gravelot, v. 1750. MNE.
147 «La Punition», litho d'Engelmann d'après Grevedon, début XIXe s. MNE.
149 «Le latin et le grec», case du *Jeu des écoliers,* v. 1810. MNE.
150 «La logique». *Idem.*
151 Bon point illustré, v. 1830. MNE.
152 «Retour de la pension», gravure d'après S. Cœuré, v. 1810. MNE.
154 «Le Collégien», litho de Ch. de Saillet, v. 1840. MNE.
155 «Nos collégiens en promenade», gravure de Lavrater, v. 1850. MNE.
156-157 «L'Ecole des Frères», gravure d'après F. Bonvin, 1873. MNE.
158 Classe d'application dans une E.N. de garçons, à Melun. MNE.
159 H.-A. du Bertrand, principal du collège de Navarre, en 1766. Gravure d'après une peinture de Bossard de Beaulieu, 1789. MNE.
161 Guizot à son bureau, gravure, v. 1835. MNE.
162 «L'Addition», gravure, 1847. Bibl. nat., Paris.
163 «Eh bien, oui, je suis un âne...», gravure, v. 1855. MNE.
164 Ecole Jules Ferry, 1934.
167 Récréation dans une cour d'école.
168 Rentrée des classes au collège Michelet à Paris, 1988.
172-173 Elève au tableau.
177 Ecoliers derrière une grille d'école.
178 Musée pédagogique, rue Gay-Lussac, aquarelle d'Edouard Lefèvre, 1890. MNE.
179 Le musée national de l'Education dans la Maison des quatre fils Aymon, à Rouen.

INDEX

A - B

About, Edmond 50.
Académie des sciences *55.*
Affre, Denis-Auguste *70.*
Agrégation 41, 58, 104, 105.
Aneau, Barthélemy 31.
Arithmétique par les jetons 20.
Assomption, congrégation de l' 59.
Astier, loi 115.
Baccalauréat *25,* 27, 49, 56, 58, 101, 102, 103, *104*, 105, 116, 120, 123, *123*, 127.
Barangé, loi 126.

Barré, Nicolas 19.
Bataillon scolaire *93*.
Batencour, Jacques de 15.
Baudelaire, Charles *51*.
Bell et Lancaster 69.
Bert, Paul 83.
Bertall *77*.
Bouquier, décret 66.
Boutmy, Emile 56.
Brevet de capacité de l'enseignement primaire 60, *68*, 69., 72, 75.
Brevet élémentaire 100.
Brevet supérieur 72, 103.
Budé, Guillaume 28, *28*.
Buisson, Ferdinand *73*, 81, *94*.
Bulletin de la Société pour l'instruction élémentaire 70.

C

Calvin, Jean 14, 31.
Carcopino, Jérôme 116.
Carles, Emilie 141.
Carnot, Hippolyte 74.
Centre d'apprentissage 115.
Certificat d'aptitude professionelle (CAP) 115, *115*
Certificat d'études 92, 93, 100.
Chantal, Jeanne de 19.
Chartier, Anne-Marie 174.
Chevènement, Jean-Pierre 121, 123.
Clouet, François *28*.
Cochin, Denys *97*.
Collège *25*, *27*, 28, *29*, 30, 31, *31*, 33, *33*, 34, *37*, *38*, *39*, 40, 41, *41*, *43*, 44, 45, *49*, 50, 51, *53*, 54, 101, *111*, 127.
Collège d'enseignement général (CEG) 117.
Collège d'enseignement secondaire (C.E.S.) 117.
Collège d'Harcourt *31*.
Collège de France (ancien Collège royal) 27, 28.
Collège de l'Ave Maria *27*.
Collège de la Trinité 31.
Collège de Montaigu 30, *31*, 32.
Collège de Navarre 26, *31*, *33*.
Collège du Cardinal Lemoine *31*.
Collège Louis-le-Grand (ancien collège de Clermont) *31*, 32, *49*, *51*, *101*.
Collège Sainte-Barbe *49*.
Collège technique 116, 117.
Combes, Emile 85, 86.
Compagnie de Jésus 31, 33.
Compagnons de l'Université 112.
Comte, Auguste *80*.
Concours général 51.
Condorcet, marquis de 44, 45, *45*, 64, 67.
Conduite des écoles chrétiennes, La (J.-B. de La Salle) 15.
Conservatoire national des arts et métiers (CNAM) 46, 56, *57*, 58.
Cousin, Victor 48, *57*.

D

Dames augustines, couvent des *60*.
Daubié, Julie 103.
Debré, loi 126, *126*.
Démia, Charles 15.
Destutt de Tracy, comte de 68.
Dictionnaire de pédagogie (Ferdinand Buisson) *73*, *94*.
Diderot, Denis 22.
Dipôme d'études supérieures (D.E.S.) 105.
Doctorat *25*, 27, 56.
Dominicains 33.
Dupanloup, Mgr 61.
Dupin, baron *77*.
Duruy, Victor 51, 56, 58, 61, *61*, 76, 101.

E

Ecole centrale (des arts et manufactures) 56.
Ecole centrale départementale 45, 46.
Ecole centrale lyonnaise 57.
Ecole d'administration 56.
Ecole d'apprentissage 100, *100*.
Ecole d'arts et métiers 58.
Ecole des arts industriels de Lille 57.
Ecole de charité 15, 18, *18*, 19, *25*,
Ecole des chartes 56.
Ecole de commerce de Paris 56.
Ecole des hautes études commerciales 57.
Ecole de la Martinière 58.
Ecole des mines 40, 46.
Ecole des ponts et chaussées 38, 46.
Ecole de santé de Paris *45*.
Ecole libre des sciences politiques 56.
Ecole maternelle *97*, 121, 122, *122*.
Ecole militaire de Paris 38, *39*.
Ecole mutuelle 69, 70, *70*, 72.
Ecole nationale professionnelle 100.
Ecole normale 72, 73, 75, 83, 84, 85,
Ecole normale de Cluny 58.
Ecole normale de Paris 66.
Ecole normale nationale d'apprentissage 115.
Ecole normale supérieure 56.
Ecole normale supérieure de Sèvres 103.
Ecole normale supérieure primaire de Fontenay 83.
Ecole normale supérieure primaire de Saint-Cloud 83.
Ecole polytechnique 40, 45, 58.
Ecole pratique de commerce et d'industrie 100.
Ecole pratique des hautes études 56.
Ecole primaire 47, 120, 126.
Ecole primaire supérieure (EPS) 72, 100, *112*, 116.
Ecole privée 85, 126, *126*.
Ecole publique 64, 65, 66, 67, 74, *79*, 80, *80*, 81, *81*, 85, 86, *87*, *89*, 90, 93, 94, 95, *127*.
Ecole royale du génie (Mézières) 40, 46.
Ecole spéciale 38, *38*, 45, 46, 51, 56, 57.
Ecole spéciale militaire de Saint-Cyr 56.
Ecole technique 115.
Ecole unique 112, 116.
Edit de Fontainebleau 19.
Edit de Nantes 20, 34.
Eglise 18, 19, 20, *20*, 22, *25*, 41, *43*, 61, *64*, 70, 76, *77*, 81, 85, 86.
Emile (Jean-Jacques Rousseau) *37*, 40.
Encyclopédie (Diderot et d'Alembert) *37*.
Erasme 28.
Escole paroissiale, l' (Jacques de Batencour) 15.
Essai d'éducation

nationale (La Chalotais) 20, 40.
Etat 20, *25*, 27, 38, 41, *43*, 46, 47, 61, 67, 68, 69, 72, *77*, *80*, 86, *89*, 94, *126*.

F - G

Faculté 26, 27, 28, 54, 55, 56, *57*, 105.
Faculté des sciences de Montpellier *55*.
Falloux, loi 48, 50, 51, 75, *75*, 76, *77*.
Faure, loi Edgard *119*.
Femmes savantes, Les (Molière) 34.
Fénelon 34.
Ferry, Jules 67, *79*, 80, *80*, 81, 85, 87, *87*, *89*, *121*, 130.
Flameng, François *57*.
Formulaire d'instruire les enfants...(Calvin) 14.
Fortoul, Hippolyte 51, 94.
Fouchet, réforme 117.
Fourcroy, 46, 50.
François Ier 27.
Frayssinous, Mgr de 48.
Freinet, Célestin 114, *114*.
Frères des écoles chrétiennes 15, 16, *17*, 38, 67, 70, *70*, 72.
Frères de la vie commune 28.
Frœbel, Friedrich *97*.

Gambetta *80*.
Gaulle, général de 116.
Gavarni, Paul 50.
Genlis, Madame de *37*.
Geoffroy, Jean *79*.
Gervais, Paul *55*.
Gide, Charles 153.
Gill *80*.
Goblet, loi 85.
Gréard, Octave 87.
Grévy, Jules 80.
Grignion de Monfort, Louis-Marie 19.
Groupe français d'éducation nouvelle 114.
Guermeur, loi 126.
Guizot, François *57*, *63* (loi), 71, 72, *72*, 87, 92, 94.
Gutenberg 14.

H - I

Haby, loi 117.
Hébrard, Jean 175.
Herriot, Edouard 116.
Holbein, Hans dit le Jeune *15*.

Inspecteur primaire 72.
Instituteur 69, 73, 74, 75, *75*, 76, *89*, *95*, 112.
Institutrice 85, 86.
Institut national agronomique 57.
Institut national des sciences et des arts 46.
Institut universitaire de formation des maîtres (IUFM) 125.
Instruction publique 46, 48.

J - K - L

Jacotot 60.
Jaurès, Jean *49*.
Jésuites 31, *31*, 32, 33, 40, 41, *41*, 54, 74.
Julia, Dominique 173.

Kant, Emmanuel 95.
Kergomard,Pauline *97*.

La Chalotais 20.
Lakanal, Joseph 66.
Lamartine, Alphonse de 149.
Lamoignon, Guillaume de 41.
Langevin-Wallon, commission 116.
Lanneau, Pierre de *49*.
Lapie, Paul 113.
Lasalliens 19.
La Salle, Jean-Baptiste de 15, *15*, *17*.
Le Peletier de Saint-Fargeau, Louis Michel 65, 66.
Lévi-Alvarès 60.
Lezay-Marnésia 67.
Liard, Louis 105.
Licence 27, 55, 56,104, 105.
Ligue de l'enseignement 77, *77*.
Lille 56, 57, *105*.
Louis-Philippe *37*, 54, *55*, 71, *74*.
Louis XIV 19, *35*, *37*.
Loyola, Ignace de 31, 32.
Luther, Martin 14.
Lycée *47*, 48, 50, 51, 101, 112, *113*, 116, 117, 123, 124, 127.
Lycée Carnot *111*.
Lycée Condorcet *101*.
Lycée de jeunes filles 102, *103*.
Lycée Henri IV *37*, *46*, *101*.
Lycée impérial de Marseille *47*.
Lycée professionnel 120.
Lycée Racine *103*.

M - N - O

Macé, Jean 77, *77*.
Maintenon, Madame de *34*, *35*, *37*.
Maison des enfants, La (Maria Montessori) 122.
Maître d'école *voir* Instituteur
Maître de conférences 104, 105.
Maîtrise ès arts 26, 27.
Manier, Joseph *77*.
Manuel général 72.
Marie, loi 126.
Maurois, André *101*.
Mémoire sur l'éducation publique (Guyton de Morveau) 40.
Meunier, Louis-Arsène 134.
Michelet, Jules *57*.
Milner, Jean-Claude 168.
Minimes, ordre des 33.
Modus parisiensis 30, 32.
Molière 34.
Monitorial system 68, 69.
Montagnards 45, 65.
Montespan, Madame de *37*.
Montessori, Maria 122.
Mun, Albert de 104.
Museum national d'histoire naturelle 46, *55*.

Napoléon Bonaparte 38, *43*, 47, 56.
Notre-Dame, congrégation 19.
Nouveau Traité des écoles primaires (abbé Affre) *70*.
Nouvelle Héloïse, La (Rousseau) 21.

Observations sur le système actuel d'instruction publique (Destutt de Tracy) 68.
Oratoriens 33, *41*.
Ormesson, André Lefèvre D' 31.
Ozouf, Jacques *82*, *83*, *85*.

P - Q

Pape-Carpentier, Marie *97*.
Paris 15, 26, 28, 30, 38, 40, 56, 57, *59*, 66, 87, *87*, *97*, 105.
Péguy, Charles *49*, 84.
Pestalozzi, Johann Heinrich 60.
Petit Catéchisme (Luther) 14
Piaget, Jean 113.
Pie IX 76.
Prost, Antoine 176.
Proust, Marcel *101*.

Quinet, Edgar *57*.

R - S - T

Racine, Jean *35*.
Ramus, Pierre 28, *28*.

Réforme 14, 28, 31.
Règles des frères des écoles chrétiennes 15.
Reims 28, 116.
Renan, Ernest 56, *57.*
Restif de la Bretonne *22,* 144.
Richelieu *27.*
Robespierre 65.
Robiquet, Paul 133.
Rousseau, Jean-Jacques 21, *37,* 40, 60.
Sacré-Cœur, congrégation du 59.
Saint-Cyr *34, 35, 53.*
Saint-Germain, comte de 38.
Saint-Marc Girardin 48.
Sainte-Claire-Déville *105.*
Sainte-Clotilde, congrégation 59.
Sainte-Geneviève, abbaye *46.*
Sainte-Geneviève, montagne 26, *27, 31.*
Sales, François de 19.
Salle d'asile *97.*
Sand, Georges *60,* 150.
Savary, Alain *126.*
Scherer, Edmond 61.
Sée, Camille 102.
Séguiran, Gaspard *31.*
Société pour l'enseignement élémentaire 69.
Sœurs d'Ernemont 19.
Sœurs de l'Enfant-Jésus 19.
Sœurs de Saint-Vincent de Paul *18,* 19.
Sorbon, Robert de 26.
Sorbonne, la 26, *27, 55, 57, 61, 105.*
Standonck, Jean 30.
Steen, Jan *16.*
Sylvère, Antoine 157.

Talleyrand 44.
Thiers, Louis-Adolphe *47,* 74.
Tolain, sénateur *100.*
Touchard, Aimé 138.
Traité de l'éducation des filles (Fénelon) 34.
Turgot 22.

U - V - W - Z

Univers, L' (journal clérical) 102.
Université *25,* 26, 27, *27,* 28, *28,* 45, *49,* 105, 124, 127.
Université impériale 47, 48, 50, 54, 67.
Ursulines 18, 35.

Vatismenil 48.
Villemain, François 48, *57.*
Visitandines 18, 35.
Voltaire 21.

Wailly, Augustin de *46.*

Zay, Jean 116.

CRÉDITS PHOTOGRAPHIQUES

Bibliothèque nationale, Paris 14h, 26-27, 29, 74, 162. Charmet (Jean-Loup), Paris 4e plat de couv., 47b, 91, 92m, 104. D.R. 94-95. Edimédia, Paris 6-7, 8-9, 21d, 22, 40b, 56-57b, 62, 74-75, 101. Editing, Lyon 168. Explorer, Paris 167, 172-173, 177. Gallimard 44b. Gamma, Paris 124h, 126 Giraudon 12, 14-15b, 16-17, 24, 30-31, 49, 78, 105b. Ikoni, Paris dos de couv. Jerrican, Paris 127. Josse, Paris 36, 71. Keystone, Paris 98, 110, 120b. Magnum/Cartier-Bresson 119h; Magnum/Freed 128; Magnum/Le Querrec 118h, 118-119b; Magnum/Riboud 118bg. Musées de la ville de Paris/SPADEM 37b. Musée Granet, Aix-en-Provence 4-5 (François Couget), 96-97 (Bernard Terlay). Musée national de l'Education, Rouen 1er plat de couv., 1, 2-3, 11, 14m, 15, 18, 19, 20, 21g, 23m, 23d, 27b, 28h, 30h, 30m, 32h, 32-33b, 33d, 34-35b, 35, 38-39h, 39h, 40h, 40- 41, 42, 43, 44hg, 44hd, 45, 46, 47h, 48h, 48b, 50-51, 52h, 52b, 53h, 53b, , 54-55h, 54-55b, 56-57h, 57, 58-59h, 58-59b, 60, 61, 63, 64, 64-65, 66-67h, 68h, 68m, 69h, 69b, 70, 72, 72-73h, 73b, 75, 76-77, 77h, 79, 80, 81m, 82, 82-83b, 83, 84-85, 86, 87, 88-89, 90h, 90m, 90-91b, 92h, 93h, 93m, 95b, 99h, 99b, 100, 102, 103, 105h, 106-107, 108-109, 111, 112, 112-113b, 113, 114h, 114b, 115m, 115d, 117h, 117b, 120h, 121, 122m, 123h, 123b, 129, 130, 132-133, 134, 136-137, 140, 140-141, 142, 144, 145, 146, 147, 149, 150, 151, 152, 154, 155, 156-157, 158, 159, 161, 163, 178, 179. Namur/Lalance 25, 37h, 66b, 67h. Rapho/Doisneau 122h. Roger-Viollet, Paris 164. Top/Baret, Paris 125. Vigne (Jean) 13, 27, 28m, 81b.

REMERCIEMENTS

L'auteur tient à remercier Armelle Sentilhes, conservateur en chef du Patrimoine, directeur du Musée national de l'Education, pour l'intérêt constant qu'elle a manifesté à la réalisation de cet ouvrage, ainsi que Cécile-Anne Sibout et Luce Dagorn pour les critiques suggestives qu'elles ont formulées tout au long de sa rédaction. L'éditeur remercie les éditions Armand Colin, la Nouvelle Librairie de France, les Editions de Minuit, *Economica / INRP* et la revue *Sciences humaines*.

COLLABORATEURS EXTÉRIEURS

La maquette des Témoignages et Documents a été réalisée par Béatrice Desrousseaux et Vincent Lever. Patrick Horvais a effectué les prises de vues des pages 106-107 et 108-109.

I LE TEMPS DES PETITES ÉCOLES DE LA RENAISSANCE À 1789

14 Des écoles pour les pauvres
16 L'abécédaire et la férule
18 Instruire les filles ?
20 Les pouvoirs et l'école
22 Une France plus instruite

II LA FORMATION DES ÉLITES SOUS L'ANCIEN RÉGIME

26 Un héritage : les universités
28 Une nouveauté : l'enseignement secondaire
30 Les jésuites à la pointe de la Contre-Réforme
32 Un réseau de collèges
34 Femmes savantes ou précieuses ridicules ?
36 Les précepteurs ou l'école à domicile
38 A l'origine des grandes écoles
40 Pour une éducation nationale

III ETUDIANTS ET COLLÉGIENS : LES NOTABLES À L'ÉCOLE (1789-1880)

44 Ecoles centrales : les collèges de la Révolution
46 Un nouveau venu : le lycée
48 L'Université en question
50 Classiques et modernes
52 Scènes de la vie de collège
54 Le sommeil des facultés
56 La vitalité des grandes écoles
60 Pour les jeunes filles : cours privés ou cours publics ?

IV L'ÉCOLE ÉLÉMENTAIRE DE CONDORCET À DURUY

64 L'école de la nation
66 Retour à l'indifférence
68 L'école mutuelle : une révolution manquée
70 Le lent progrès des écoles rurales
72 Guizot et la naissance de l'école publique
74 Sous le régime de la loi Falloux
76 Aux origines des guerres scolaires

V L'ÉCOLE DE LA RÉPUBLIQUE (1880-1918)

80 Ferry et la laïcité
82 A l'Ecole normale
84 Les hussards noirs
86 L'école pour tous
88 Les palais scolaires
90 Une pédagogie rénovée
92 Le bagage du certif
94 Former des citoyens
96 Des salles d'asile aux écoles maternelles
100 Peuple et bourgeoisie : à chacun ses collèges
102 Des lycées pour les filles
104 Le réveil des facultés
106 Les outils de l'écolier

VI LA MÊME ÉCOLE POUR TOUS ?

112 L'école unique en perspective
114 Les apprentis à l'école
116 Tous au collège
118 Un vent de révolte
120 La fin de l'école Ferry
122 Le bac pour tous ?
124 Les avatars de la démocratisation
126 Les Français, consommateurs d'école

TÉMOIGNAGES ET DOCUMENTS

130 La charte de la laïcité
134 Portraits de maîtres
144 Souvenirs d'école
158 L'école au fil des lois
168 Controverse
178 Un musée pour l'éducation
180 L'école en chiffres
182 Chronologie
184 Annexes